SUPERBUR
NARRATIVA

I LIBRI DI DACIA MARAINI

Dacia Maraini è autrice di romanzi di successo tra cui *L'età del malessere* (1963); *Memorie di una ladra* (1973); *Donna in guerra* (1975); *Isolina* (1985, Premio Fregene 1985, ripubblicato da Rizzoli nel 1992; tradotto in cinque paesi); *La lunga vita di Marianna Ucrìa* (1990, Premi: Supercampiello 1990; Libro dell'anno 1990; tradotto in diciotto paesi) da cui è stato tratto il film di Roberto Faenza *Marianna Ucrìa*; *Voci* (1994, Premi: Napoli 1995; Sibilla Aleramo 1995; tradotto in dieci paesi); *Dolce per sé* (1997, Premi: Vitaliano Brancati-Zafferana Etnea 1997; Internazionale per la Narrativa Flaiano-Telecom Italia 1997; tradotto in tre paesi); di testi teatrali fra i quali *Maria Stuarda* (1975, rappresentato in ventidue paesi), *Dialogo di una prostituta con un suo cliente* (1978, rappresentato in venti paesi); *Stravaganza* (1987, rappresentato in quattro paesi); *Veronica, meretrice e scrittora* (1991); *Camille* (1995); di poesie: *Donne mie* (1974); *Mangiami pure* (1979); *Viaggiando con passo di volpe* (1991, Premi: Mediterraneo 1992; Città di Penne 1992). Nel 1980 ha scritto, in collaborazione con Piera Degli Esposti, *Storia di Piera* (tradotto in due paesi); nel 1986 *Il bambino Alberto* (tradotto in due paesi); nel 1987 *La bionda, la bruna e l'asino*; nel 1993 *Bagheria* (Premi: Rapallo-Carige 1993; Scanno 1993; finalista allo Strega 1993; Joppolo 1994; tradotto in cinque paesi) e *Cercando Emma* (tradotto in due paesi); nel 1996 *Un clandestino a bordo* (tradotto in tre paesi), nel 1998 *E tu chi eri?* e *Se amando troppo* e nel 1999 *Buio,* col quale ha vinto il Premio Strega.

Dacia Maraini

BUIO

Biblioteca Universale Rizzoli

ISBN 88-17-25182-8

prima edizione Superbur Narrativa: maggio 2000

Il Bambino Grammofono e l'Uomo Piccione

Il padre l'ha chiamato Grammofono. È piccolo per la sua età. Ha le orecchie a sventola e una faccia tutta punte con due occhi accesi e mobili.

Grammofono, detto Gram, compie fra pochi giorni sette anni. Quando cammina, saltella. Quando ride, si piega in due perché ridere gli fa venire mal di pancia. Soffre di una rinite cronica e ogni tanto il naso prende a colargli irrefrenabilmente. Allora lui si pulisce col dorso della mano che poi si stropiccia contro i pantaloncini corti. La madre gli dice che lascia tracce lucenti come le lumache. «Invece che Grammofono dovevamo chiamarti Lumachino.» E ride, facendogli il solletico. La madre ha solo ventitre anni e con questo figlio ci gioca come con un compagno un po' goffo e buffo. Lo afferra per le orecchie, gli soffia in bocca, lo solleva da terra come fosse un cagnolino, o si diverte a farlo cadere lungo disteso con uno sgambetto inaspettato.

Il padre non è quasi mai a casa. Nessuno sa che lavoro faccia. Esce di mattina e torna la sera, quando torna. Porta i capelli lunghi sulle spalle, qualche volta stretti da un laccetto colorato. «È bello come Cristo» dicono di lui i negozianti quando lo vedono entrare per comprare il latte e i biscotti al suo bambino.

A Gram piace giocare con il lungo orecchino in forma di minuscola campana che pende all'orecchio del padre: «posso tirare, pà?».

«No che mi fai male, Gram.»

«Posso fare din don?»

«Lo faccio io, guarda.» E scuote la testa in modo che l'orecchino ciondoli e suoni proprio come una campanella gioiosa.

Anche la madre si assenta spesso e non torna che a sera inoltrata. Il bambino rimane solo a giocare con i trenini. Ne ha una decina che corrono come frecce sui binari che il padre gli ha amorevolmente sistemato lungo i corridoi di casa.

Ogni tanto Gram esce sul balcone e rimane incantato a guardare i piccioni che svolazzano in su e in giù cercando cibo. A volte urla «attento» verso un piccione particolarmente ardito che si posa in mezzo alla strada per raccogliere una briciola di pane nell'intervallo fra una macchina e l'altra. Il bambino si porta una mano al cuore come per calmarlo: se la bestiola venisse schiacciata dalle ruote di una auto gli salterebbe tanto nel petto da uscirgli di bocca. Ma i piccioni si salvano sempre: riescono a scappare in volo proprio un attimo prima che l'auto li investa. Allora Gram sorride contento e caccia indietro le lagrime che già gli spuntavano sotto le palpebre.

Una mattina, mentre segue il volo dei piccioni, vede arrivare sul terrazzino una pietruzza. Da dove può venire? Guarda verso il cielo ma non sembra che piovano pietre. Spia in basso, verso la strada, ma, salvo le macchine, non vede niente di anormale. Forse verrà dai giardinetti, al di là della strada. Infatti, spingendo lo sguardo sotto i platani, scorge un uomo seduto sopra una panchina che lo sta osservando. Raccoglie pietruzze da terra e ci gioca, facendole saltare sopra le ginocchia. Da lontano il grigio della giacca luccica come fosse di piume iridescenti. Le scarpe gialle, poi, assomigliano a delle zampe di uccello. Che sia un piccione gigante?

Da quel giorno Gram si precipita, la mattina, a guardare fuori dalla finestra per vedere se il piccione gigante sia ancora lì. E sempre lo trova allo stesso posto, seduto sulla panchina a giocare con le pietruzze mentre guarda in su verso di lui.

Una mattina verso le undici, ché quella è l'ora in cui lo vede arrivare, Gram si rende conto che il piccione gigante gli fa dei segni con le dita che ruotano come fossero cento anziché dieci.

La sera ne parla con la mamma: «c'è un piccione che mi guarda dal giardinetto e fa delle ruote con le dita».

«Le dita, un piccione?»

«È un piccione grande, un po' uomo, un po' uccello.»

«E come è possibile?»

«Ha le scarpe gialle. I piccioni possono avere le scarpe gialle?»

«La tua non è una testa di bambino, è una trottola. Fermala un poco, Gram, mi fai venire il mal di mare.»

Il giorno dopo, l'uomo è ancora lì e gli fa un sorriso che sembra l'aprirsi e il chiudersi di un becco. Non si muove dalla panchina e pare preso da una stanchezza mortale. Si porta spesso la mano alla fronte come per cacciare un pensiero fastidioso. I capelli – o sono le piume della testa – gli scivolano sulla fronte e lui li caccia indietro aprendo le dita a rastrello. Quando l'uomo vede che il bambino lo osserva, riprende i suoi giochi con le dita che si aprono a ventaglio, e si richiudono ruotando, soffiando piume.

Ma ora il segno si fa più chiaro. "Scendi giù" gli dice l'uomo piccione e Gram lo guarda ammaliato. Poi, improvvisamente decide di disobbedire alla mamma: si infila le scarpe da ginnastica rosse, scende a precipizio le scale, attraversa la strada dopo avere diligentemente guardato a destra e a sinistra e si avvia verso i giardinetti. Quando arriva alla panchina vede l'uomo piccione che apre il becco per dargli il benvenuto. Ha gli occhi tondi e neri e lo scruta con una attenzione che non ha mai visto nello sguardo degli adulti.

«Ciao, ti aspettavo.»

«Sei un piccione, tu?»

«Sì e tu?»

«No, io sono Gram.»

«Che nome è Gram?»

«Il mio nome.»

«Allora, Gram, ti piacciono i piccioni?»

«Sai anche volare?»

«Qualche volta.»

«Chissà come ride la mamma quando le racconto di un uomo piccione che sa anche volare.»

«No, se vuoi vedermi volare non devi dire niente alla tua mamma.»

«Ma perché?»

«Perché le mamme non capiscono niente di queste cose.»

«Allora lo dico al papà.»

«Assolutamente no. Hai mai visto un papà che vola?»

Il bambino ci pensa sopra. Non trova risposta. Intanto sente un'ala dell'uomo che si posa sulla sua spalla, leggera e protettiva.

«Vuoi diventare piccione anche tu?»

«Io no. Ho paura di volare.»

«Prova a fare così con le braccia.»

Il bambino solleva le braccia e le agita come vede fare all'uomo.

«Potresti provare a volare un po'. Se poi non ti piace, smetti.»

«Ma se ho paura?»

«Non avrai paura accanto a me che volo da anni.»

«E dove si vola?»

«Lassù. La vedi quella collina? lì dove ci sono quei pini fitti fitti, li vedi? lì si vola. Andiamo.»

«Ma io...»

«Vieni, ti dico.»

L'uomo piccione prende per mano il bambino Grammofono e lo conduce verso una automobile parcheggiata all'angolo della via.

«Ma ci andiamo in macchina?»

«Sì, per raggiungere quei pini ci vuole la macchina. Se andassimo a piedi sai quanto ci metteremmo? un anno.»

«E non possiamo volare da qui?»

«Non si può volare in salita. Solo in discesa.»

«Allora andiamo.»

L'uomo apre lo sportello, lascia che il bambino salga e richiude abbassando con un gesto deciso la sicura. Poi entra al posto di guida e mette in moto. Il bambino lo guarda e vede che i capelli sono proprio delle piume grigie, da piccione maturo.

«Ce l'hai la mamma, tu?» gli chiede.

«Certo. Una mamma picciona. Pesa cento chili.»

«Anche il papà?»

«Il papà è morto. Qualcuno se l'è mangiato.»

«Si mangiano, i piccioni?»

«Certo, arrosto.»

«E chi li uccide?»

«Io.»

«Non è vero... Qui, dove siamo?»

«Stiamo salendo in piccionaia.»

«Ci saranno molti piccioni?»

«Moltissimi.»

«Ecco gli alberi. Sono proprio alti. Ma i piccioni dove sono?»

«Adesso arrivano. Ma ora levati la maglietta e i pantaloncini.»

«E perché?»

«Perché se ti spuntano le piume, sotto i vestiti non si vedono.»

«Non mi va.»

«Levateli, ti ho detto.»

Il bambino si agita sul sedile. Possibile che l'uomo abbia cambiato voce? Non è più il gorgoglio gentile del piccione che esce dalla sua bocca, ma il suono rauco e cattivo del corvo affamato.

«Dove sono i piccioni?»

«Ora arrivano.»

«Mi fai vedere come voli?»

«Ora basta con questa storia, levati la maglietta, se no te la levo io.»

«No.»

Arriva un ceffone. Il bambino si porta le mani al viso arrossato. Le lagrime gli scivolano giù per le gote.

«Voglio tornare a casa» dice piagnucoloso. L'uomo gli sbatte il dorso della mano sulla bocca. Il bambino tace allibito.

L'uomo ora ha fermato la macchina fra due cabine dei lavori stradali, sprangate. Non c'è nessuno in giro fra quei pini. Le mani pennute si allungano verso il bambino; gli allargano il collo della maglietta, gli slacciano la cintura dei pantaloncini. Il bambino prende a scalciare disperato. L'uomo gli torce un braccio fino a fargli perdere il respiro. Poi arriva un altro schiaffo e un altro ancora. Il piccolo Grammofono ha gli occhi velati. Non ce la fa neanche a piangere. Ma continua a tirare calci.

L'uomo ora gli è addosso. Lo tiene stretto. Gli urla nell'orecchio: «se continui a tirare calci ti ammazzo».

Il bambino gli dà una ginocchiata nel ventre. L'uomo urla di dolore. Prende il bambino per il collo e stringe rabbiosamente le dita sulla giugulare.

Intanto un piccione si è posato con leggerezza sul cofano della Bravo celeste. Ha le piume di un bellissimo grigio fosforescente e il becco giallo, screziato.

Il piccione volge lo sguardo distratto dentro la macchina mentre si riposa dal volo e vede un uomo che singhiozza e sussulta mentre, stretto a sé, tiene un bambino dal capo reclinato e molle.

La mattina dopo lo spazzino trova il cadavere di un bambino mezzo nudo, con le scarpe da ginnastica rosse ai piedi, nella pineta sopra la città.

Intanto papà e mamma Pazzariello hanno sporto denuncia per la sparizione del figlio di sette anni, Grammofono Pazzariello. Chi ha visto il bambino uscire dal portone? chiede disperato il padre, scuotendo la testa e facendo ballare il lungo orecchino in forma di campanella.

Sul tavolo della commissaria Adele Sòfia arrivano insieme le due carte: quella che denuncia la sparizione del bambino e quella del ritrovamento del cadavere da parte dello spazzino comunale.

Vengono interrogati gli abitanti del palazzo in cui viveva il piccolo Grammofono Pazzariello. Intanto si prepara l'autopsia. La quale rivelerà, a tre giorni di distanza, che il bambino è stato violentato e ucciso fra le undici e le tredici del tre maggio.

Nel frattempo gli uomini del commissariato di zona stanno spulciando i registri per vedere se ci sono state denunce per molestie sessuali nel quartiere. Ma risulta che i due casi più recenti di "aggressioni" hanno come autori due bambini di dodici e tredici anni che sono ancora chiusi in riformatorio.

Al terzo giorno la giovane madre, che non smette di piangere, si ricorda che il figlio le ha parlato di un uomo piccione che lo guardava dai giardinetti.

«Cosa voleva dire, suo figlio, con "uomo piccione"?» chiede la commissaria alla donna.

«Non lo so. Mi ha chiesto se i piccioni possono portare scarpe gialle.»

«Non pianga più, signora, la prego, cerchi di ricordare, è importante: quante volte suo figlio le ha parlato di quest'uomo?»

«Una volta sola. Ma io non l'ho preso sul serio. Pensavo ai piccioni... come ho fatto? come ho fatto? l'ho ucciso io, signora commissario, l'ho ucciso io...»

«Non dica sciocchezze. L'ha ucciso una persona precisa, con nome e cognome, che ritroveremo. Perché suo figlio chiamava quell'uomo piccione?»

«Non lo so...»

«Gli piacevano i piccioni a suo figlio?»

«Molto. Stava ore sul balcone a guardarli volare.»

Ma la commissaria Adele Sòfia viene interrotta d'ur-

genza dall'ispettore Marra che ha trovato una testimone.
«Vengo subito. Chi è?»

«È la fornaia, dice di aver visto un uomo che si allontanava con un bambino.»

La donna ha un negozio di fianco ai giardinetti. Da dietro i vetri ha seguito con lo sguardo un uomo, tutto vestito di grigio, con le scarpe gialle, seduto sulla panchina che giocava con la ghiaia. Verso le undici e mezzo l'uomo è entrato in negozio, dove ha comprato del pane poi è tornato alla panchina e ha iniziato a sbriciolarlo dandolo da beccare ai piccioni.

«Verso mezzogiorno, forse mezzogiorno e un quarto, l'ho visto allontanarsi mano nella mano con un bambino. Non so se fosse il piccolo Gram, non ci ho badato. Pensavo che fosse suo figlio. Magari aveva aspettato che uscisse da scuola. Lei sa che, a duecento metri dai giardini, c'è la scuola elementare Anna Kuliscioff.»

«Cerchi di ricordare i particolari. Più o meno che età aveva?»

«Sui quaranta. Poco più o poco meno.»

«Capelli?»

«Grigi.»

«Ricci o lisci?»

«Lisci, anzi gli cascavano continuamente sugli occhi e lui faceva un gesto con la mano per tirarli su. Lo faceva spesso, questo gesto, l'ho notato.»

«Occhi?»

«Non ricordo il colore. Mi pare grigi, ma forse castani.»

«Naso?»

«Aquilino, a becco, direi.»

«Bocca?»

«Labbra sottili, senza colore. Un bel sorriso.»

«Ha anche sorriso comprando il pane?»

«Sì, ha sorriso e ricordo di avere pensato: che bel sorriso contagioso! Infatti mi è venuto pure a me di sorridere.»

«L'aveva già visto altre volte quest'uomo?»

«No, mai. Da due o tre giorni veniva la mattina verso le undici, si sedeva sulla panchina e ci rimaneva fino all'una, all'una e mezzo e poi se ne andava.»

«Quindi lei lo teneva d'occhio?»

«Senza volere, forse. Ogni tanto mi capitava di guardare se fosse ancora lì.»

«E che faceva su quella panchina?»

«Niente. Guardava in alto.»

«In alto dove?»

«In alto, verso la casa del povero bambino.»

«Ma questo lei l'ha ricostruito a posteriori. Allora dove le sembrava che guardasse?»

«Non me lo sono chiesto. Ho visto che guardava in alto, verso destra.»

La commissaria prende il disegno dalle mani del grafico chiamato a fare l'identikit, e lo porge alla fornaia: «lo riconosce?».

«No, è più chiaro. E senza quelle rughe.»

«Allora, è più giovane?»

«No. Di faccia è giovane, ma ha qualcosa di vecchio... non so... forse il modo di stare seduto, un po' curvo in avanti come se avesse paura di venire picchiato.»

«Di che colore aveva le scarpe?»

«Gialle, l'ho notato, del tipo inglese, di un bel cuoio lustro e pesante.»

«Ha pensato che fosse un poveraccio senza arte né parte o le è sembrato un benestante che prende aria ai giardinetti?»

«No, non ho pensato che era un poveraccio. D'altronde aveva una bella macchina nuova nuova parcheggiata in fondo alla strada.»

«Ha visto anche questo? meno male che ci sono persone come lei che osservano tutto. E di che tipo era la macchina? l'avrà certamente notato.»

«Era una Bravo celeste.»

«E per caso ha visto anche la targa?»

«No, non ci ho fatto caso. Io guardavo lui, non la sua macchina. Ho visto che usciva da una Bravo celeste, l'ho notato perché mio marito se la voleva comprare uguale, ma poi ci siamo tenuti la vecchia Panda. Ho pensato: questo non è del quartiere. Infatti non l'avevo mai visto prima.»

«Bene, non rimane che scrutinare tutte le Bravo celesti di recente immatricolazione. Lei può andare, signora. Probabilmente la richiameremo per un confronto. Rimane in città in questi giorni, spero.»

«E dove vuole che vada, ho tanto da fare col forno, io.»

«Lei conosceva il bambino ucciso, Grammofono Pazzariello?»

«Come no! chi non li conosceva quelli lì.»

«Perché dice "quelli lì" storcendo la bocca?»

«Erano strani: il padre con quei capelli lunghi, l'orecchino a forma di campanella, sempre vestito di jeans e giubbotto, con due draghi tatuati sul braccio. La madre, una piccoletta che sembrava la sorella del bimbo, vestita come una tredicenne, i calzettoni arrotolati, le scarpe da tennis bianche, i pantaloni aderenti, la treccia sulla schiena. Erano belli tutti e due ma sciagurati. Quel bambino piccolo piccolo lo lasciavano sempre lì sul balcone da solo. Non usciva mai. Ogni tanto la madre se lo abbracciava, se lo baciava, lo portava via con sé. Ma normalmente se lo dimenticava per intere giornate dentro quell'appartamento al primo piano. Sa quante volte ho pensato di chiamare la polizia, ma poi mi dicevo: non ti impicciare, Margherita, al solito tuo, lasciali perdere, non sono fatti tuoi. Adesso però mi pento di non averlo fatto. A quest'ora il bambino sarebbe vivo.»

Due giorni dopo Adele Sòfia tiene fra le mani l'elenco di una ventina di persone proprietarie di Bravo celesti.

Vengono controllati i nomi, le età, le abitudini, gli alibi. Alla fine di un grosso lavoro di selezione rimangono solo quattro sospettabili: un infermiere di trentotto anni che dichiara di essere rimasto quella mattina del tre maggio in ospedale fino alle due, contraddetto da un altro infermiere che dice di averlo visto uscire verso mezzogiorno; un fabbro di quarant'anni che vive solo, dopo avere perso la moglie e il figlio in un incidente d'auto, dichiara di non essere uscito di casa quella mattina ma non ha nessuno che possa testimoniarlo; un insegnante che in quelle ore risulta essere stato a scuola, ma un bidello assicura che spesso si assentava senza che nessuno ci trovasse niente da ridire; e infine un commerciante all'ingrosso che ha comprato la macchina appena da un mese e possiede pure un paio di scarpe gialle.

I quattro vengono invitati in commissariato e mentre parlano con l'ispettore Marra, da dietro uno specchio trasparente Adele Sòfia indica alla fornaia – che per l'occasione si è messa il cappello della domenica – ad uno ad uno i proprietari delle auto sospette. Ma la fornaia, che pure ha dimostrato di avere un occhio acuto e una memoria di buona lega, nega di avere mai visto quegli uomini ai giardinetti di fronte al suo negozio.

«Ne è sicura?» chiede Adele Sòfia alla donna che, sudata, continua a scrutare quei volti scuotendo ostinata la testa incappellata.

«Così, siamo punto e da capo. Mi ridia la lista dei proprietari di Bravo celesti, Marra!»

«Ecco, ma abbiamo già controllato.»

«Un momento. Qui però vedo due cancellature. Che vuol dire?»

«Si tratta di due persone che stanno lavorando con noi. Una, la dottoressa Pargoli e l'altro, l'assistente sociale Paolo Crinale.»

«Hanno comprato di recente una Bravo celeste?»

«Sì, ma...»

«Quanti anni hanno?»

«Lei, cinquantasei. Lui, quarantuno.»

«Lasci pure stare la Pargoli. Vada subito a prendere l'altro, il Crinale.»

Paolo Crinale arriva al commissariato con l'aria offesa. Porta pantaloni larghi, celesti e una bella giacca bianca. Ha i capelli grigi pettinati all'indietro, appiccicati alla cute con l'acqua.

«Li porta sempre così i capelli, lei?»

«Sì, perché?»

«Dove stava il tre maggio fra le undici e le tredici?»

«Ero in ospedale, coi miei bambini down. Ma perché me lo chiede?»

«Lei conosce la vicenda del bambino trovato strangolato. Mi scusi ma non possiamo avere riguardi. Dobbiamo interrogare tutti coloro che hanno comprato recentemente una Bravo celeste.»

«Giusto, lei fa il suo dovere, commissaria. Ma mi permetto di farle notare che io sono parte in causa in questa ricerca. Ho partecipato, assieme coi suoi uomini, alla indagine sull'assassino.»

«In che veste?»

«In veste di assistente sociale. Io conosco questi ambienti e chi li frequenta. Conosco anche parecchi pedofili. Ho dato un elenco dei sospetti all'ispettore Marra. Ora non potete mettermi nel mazzo con gli altri.»

«Lei ha comprato di recente una Bravo celeste?»

«Signora commissario, ci sono altre trecento persone in questa città che possiedono una Bravo celeste come la mia.»

«Le abbiamo già controllate tutte, salvo la sua. Quando l'ha comprata?»

«Quattro mesi fa... Vorrei farle notare che io sono un assistente sociale. Lavoro per l'ospedale, per voi. Godo della fiducia dell'amministrazione comunale. Se mi mettete in cattiva luce, anche solo per un sospetto, io rischio di perdere il posto, signora commissaria, ne tenga conto.»

«Ne terrò conto.»

«Non faccia i soliti errori per cui siete famosi.»

«Cosa intende dire?»

«Mettete la gente in galera per un nonnulla, date retta alle parole di pregiudicati senza scrupoli, negli interrogatori torturate la gente...»

«Saranno i giudici a decidere.»

«Peggio mi sento. Io temo i giudici, signora. Da un po' di tempo c'è aria di caccia alle streghe. Questo è un regime che inquisisce chi non si adegua... Non vorrei, per avere comprato una Bravo celeste, finire sbattuto in carcere...»

«Mi dica dove si trovava fra le undici e le tredici del tre maggio scorso.»

«In ospedale, gliel'ho detto. Io lavoro coi bambini down.»

«E non si è preso qualche giorno di licenza in maggio?»

«Tre giorni, sì, ma in aprile, non in maggio.»
«Be', controlleremo il suo alibi.»
«Allora posso andare?»
«No, un momento. C'è qui una testimone che ha visto l'uomo in questione allontanarsi col bambino. Solo un piccolo confronto con lei e poi la lascio andare.»
«No, scusi, ma io devo proprio tornare all'ospedale. Se poi un bambino down si fa male perché ero assente, vengo arrestato, si rende conto?»
«Si tratta di un minuto. Vada a chiamare la fornaia» dice all'ispettore Marra e si caccia in bocca un pesciolino di liquorizia. «Ne vuole uno?»
Ma l'uomo non le dà retta. Si dirige rapido verso la porta deciso ad andare via. Sulla soglia si scontra con la fornaia che alza subito il dito gridando: «è lui, commissaria, lo riconosco».
«Questa è una pazza scatenata; la tenga al suo posto, commissaria, io devo tornare in ospedale. Arrivederci!»
Ma due mani robuste lo trattengono. Nell'urto un ciuffo di capelli grigi si stacca dal cranio e gli scivola sugli occhi. L'uomo automaticamente lo ricaccia indietro aprendo le dita a rastrello.
«Ha visto, commissaria, lo stesso gesto che le avevo descritto. È proprio lui.»
«Che nessuno mi metta le mani addosso» dice con voce dignitosa l'uomo che improvvisamente, con i capelli per aria e la schiena curva, il naso a becco, si trasforma in un enorme piccione dall'aria inferocita.
«Che nessuno mi tocchi» insiste. «Mi dichiaro prigioniero politico.»

Viollca la bambina albanese

Viollca se ne sta davanti ai vetri, con il suo orso di peluche in braccio. Fuori piove. Sulla strada le macchine passano lente, schizzando spruzzi di fango e di acqua.

La madre, nella camera da letto, riempie la valigia per lei. Il padre siede in cucina con un giornale in mano ma senza leggerlo. Ogni tanto rigira automaticamente il cucchiaino nella tazza del caffè ormai freddo.

Si sente un clacson che suona ripetutamente.

«È lui, Xhuvan. Tieni l'impermeabile, dai, spicciati.»

La madre porge la valigia alla figlia. Il padre si affaccia alla porta per salutarla: «ciao, Viollca, vogëlushja ime, piccola mia».

«Lascia fare a Xhuvan, lui sa. E scrivi appena puoi.»

«Tieni, eccoti un po' di soldi per il viaggio.» Il padre le mette in mano qualche dollaro, poi si allontana soffiandosi il naso.

La madre l'abbraccia sulla soglia. Prima di allontanarsi, fa per toglierle l'orso dalle mani, ma la bambina lo stringe al petto con impeto. Nessuno, per nessuna ragione, deve separarla dal suo Malek con cui dorme da quando era piccola.

Xhuvan è gentile. Le apre la portiera della macchina con modi signorili. Le fa segno di entrare mentre lui infila la valigia nel portabagagli.

«Un'ora di viaggio e hop, in nave...» È allegro. Accenna a tirarle via l'orso dalle braccia ma Viollca lo stringe spasmodicamente a sé.

«Sei brava, neanche una lagrima. Così mi piace. Una coraggiosa signorina che va a conquistare l'Italia, eh?»

Sul battello Xhuvan la fa scendere dall'auto, le passa un braccio attorno alle spalle. «Do të hash bukë? hai fame, Viollca? vuoi un panino con la mortadella?»

Viollca fa cenno di no. Con due dita tormenta l'orecchio destro dell'orso.

«È sporco questo orsacchiotto. Lo buttiamo a mare?»

Viollca prende a tremare. Le lagrime premono contro le palpebre.

«Va bene, se non vuoi, niente. Te ne volevo comprare uno tutto nuovo, no? vuoi una aranciata?»

Viollca continua a tormentare l'orecchio della bestiola senza rispondere. Ha freddo alle gambe che sono nude. Le scarpe col tacco, comprate da sua madre, la fanno vacillare.

Appena tornano in macchina, si sfila le scarpe e le caccia sotto il sedile.

«Che fai, ti togli le scarpe? non sei più una bambina selvaggia che gioca in mezzo alla strada. Je një zonjushë, sei una signorina elegante, in minigonna, coi tacchi alti.»

Viollca sorride pensando alla faccia di sua sorella Anjeza quando l'aveva vista con quei tacchi. Si era messa ad urlare che voleva andare anche lei in Italia con Xhuvan. Ma Anjeza ha solo otto anni e non è ancora sviluppata. La più piccola, Teuta, si era messa a piangere pure lei. I fratelli, invece, non sembravano contenti che lei partisse. Il più grande che fa il gruista al porto di Durazzo aveva bestemmiato. L'altro, Anton, che aiuta a raccogliere le patate, aveva gridato che sono tutti pazzi, tutti pazzi.

«Fai un po' di soldi e poi torni. Ti serviranno per sposarti. E poi dobbiamo rifare anche il tetto. Vai, Viollca e zoti të shpëtoftë, Dio ti guardi.»

«Se ti chiedono l'età, devi dire che hai diciassette anni, kuptove?»

Viollca annuisce guardandosi le gambe magre e le ginocchia puntute. Difficile fare credere di avere diciassette anni quando ancora non ne ha compiuti dodici.

«Sembri più grande, parola di Xhuvan. Allora, ricordi? diciassette anni compiuti. Qui ci sono i documenti nuovi. Il tuo nome è sempre Viollca ma il tuo cognome è cambiato. Ti chiami Mrozek; imparalo a memoria.»

La bambina fa un segno con le dita che vuol dire O.K. L'ha visto in un film americano e le è rimasto impresso.

Al porto di Brindisi c'è un'altra macchina, grande e scura, ad aspettarli. Due albanesi e un italiano stringono la mano a Xhuvan che consegna loro la bambina e se ne va.

Nessuno le chiede niente. Neanche la salutano. La caricano nella macchina lunga e scura che, sgommando, parte verso la periferia di Roma.

Avrebbe voglia di fare pipì ma dalle facce di quei tre capisce che non è il caso di chiedere di fermarsi. Stanno litigando per una questione di soldi, in uno strano misto di italiano e inglese.

L'appartamento in cui la portano è grande. Ci sono due stanze da letto, una tutta per lei e una per un'altra ragazza, una albanese che si chiama Cate.

«Qui mangiate, qui dormite. Niente telefono, niente

uscire, niente finestra, niente parlare con estranei. Aspettate che vi veniamo a prendere. Gjith mirë, tutto bene, kuptove?» E immediatamente, come per mostrare cosa toccherà loro se disobbediscono, le arriva un ceffone di quelli che fanno girare la testa sul collo.

Viollca trattiene il respiro. Non deve piangere, per nessuna ragione. L'orso le è caduto dalle braccia. Osserva con la coda dell'occhio per controllare se anche Cate viene schiaffeggiata. Ma vede invece che il più anziano, quello con la pancia che straripa dalla cintura, la spinge contro il muro, le solleva la gonna e comincia a urlare.

«Che roba è? mutande sbrindellate, con l'elastico rotto! troia! non si va in giro così, bestia! mettiti della roba pulita e a modo. Non voglio più vedere queste porcherie!» Lo schiaffo arriva anche per lei, a conclusione della ingiunzione.

Ora i due uomini se ne sono andati. La casa è silenziosa. Dalla finestra sale il suono di una fisarmonica. Viollca si affaccia per vedere chi suona. Ma subito una mano la tira indietro. È Cate che l'ha afferrata per la maglietta: «niente finestra!».

Viollca si aggira per la casa ammirando i pavimenti di mattonelle nuove dai bordi color uovo, le ampie tende bianche, i mobili massicci e scuri, la cucina spaziosa dai pensili verde erba. A casa sua, a Shijak, dormiva per terra in cucina sopra un materasso che veniva tirato giù la notte. C'era una sola camera da letto, per i genitori e la figlia più piccola. L'altra sorella e la nonna dormivano nel soggiorno e lei con i due fratelli, in cucina. Per il bagno dovevano andare fuori, sul pianerottolo. Lo stesso lavandino e lo stesso cesso servivano per quattro famiglie. Era il luogo detto "dei litigi fra oche". Si sentivano continuamente delle grida provenire dal pianerottolo di fronte alla porta sprangata dall'interno. Ognuno accusava l'altro di lasciare il bagno sporco, di starci troppo facendo penare chi era in attesa. Anche i bambini avevano imparato a trattenere i loro bisogni, come facevano tutti, aspettando il turno al cesso.

Ora qui c'è un grande bagno tappezzato di mattonelle rosa, solo per lei e per Cate. Viollca si diverte ad aprire tutti i rubinetti. Non solo viene acqua abbondante fredda, ma perfino calda.

Così, saltellando, si sposta verso la cucina. Apre la porta del frigorifero. Lo trova stracolmo di roba da mangiare: latte, uova, formaggio, pesche, uva, biscotti.

«Potete mangiare quanto volete. Se vi manca qualcosa suonate questo campanello, kuptove, capito? verrà su una donna dal piano di sotto. Non dovete mai mettere il naso fuori dalla porta, per nessuna ragione. Se vi serve qualcosa suonate il campanello.» Nel dire così il più giovane dei due uomini, quello con la giacca di pelle arancione, le aveva dato una botta che le ha lasciato un bernoccolo dietro l'orecchio.

«Verremo a prendervi noi, domani sera, alle otto. Mettetevi i vestiti che vi abbiamo preparato. A domani.»

Rosicchiando un biscotto Viollca si avvia per tornare in soggiorno. Passando vede Cate che piange sdraiata sul letto a pancia sotto, senza scarpe, coi capelli scarmigliati. Pensa di entrare. Ma poi alza le spalle. E chi la conosce quella lì?

Mentre mangia distesa sul divano, gli occhi fissi al televisore, intravvede la porta che si apre. E sulla soglia una donna di mezza età, grassa e tozza, i capelli neri legati dietro la nuca, le mani enormi, un sorriso da mezzaluna.

«Ah, siete già qui. Manca niente? capite un po' d'italiano, vero? tu sei Viollca, ho indovinato? e quella è Cate.

Bene. Visto il letto? vuoi una coperta in più? ha fatto freddo in questi giorni. Hai fame? il pane si può scaldare in forno. Scommetto che vuoi chiamare i tuoi a Shijak. Ci penso io. Dammi il numero. Qui non c'è telefono. Da me sì. Glielo dico io ai tuoi che stai bene... Perché piange quella?»

Viollca alza le spalle. Che ne sa, lei! a guardarla, le sembra una ragazza troppo alta per la sua età: tredici anni, hanno detto i due uomini. Ha i piedi grandi e un naso che le piange in bocca. E poi non fa che singhiozzare.

La donna prende il numero di telefono e se ne va, chiudendosi dietro la porta, a chiave. Viollca si avvicina alla finestra. Ha voglia di guardare fuori. Ma è proibito. Vuol dire che guarderà da lontano. È curiosa di vedere l'Italia di cui ha tanto sentito parlare.

Ma al di là dei vetri c'è solo un muro. Un palazzo senza finestre. Probabilmente una fabbrica, chi lo sa. Nessuno può guardare lì dentro dove sono loro, forse per questo hanno preso quella casa. Solo dalla finestra della cucina si vedono dei tetti e in fondo, la strada, con una fila di macchine di tutti i colori.

Dall'apertura del bagno, che è piccola e incassata, si intravvede un bel cielo cosparso di nuvole bianche che le rammentano il suo paese.

«Farai un sacco di soldi, Viollca, do të jesh e pasur, sarai ricca.» Non l'aveva mai sentita così entusiasta la voce della mamma. «Tieniti vicina a Xhuvan, fidati di lui.» Ma Xhuvan l'ha consegnata ai due uomini ed è sparito.

Il sonno le gonfia le palpebre mentre sul divano ha ripreso a fissare la televisione. Raffaella Carrà le manda un saluto dallo schermo. Indossa un vestito bianco, ampio, che ad ogni movimento si allarga in un'onda candida. Le piacerebbe avere un vestito come quello. Invece i due *patron*, come li chiama la donna del piano di sotto, hanno lasciato per loro gonne leopardate, cortissime, dei top che scoprono la pancia, calze a rete e mutandine di pizzo rosso e nero. Domani sera verranno e le porteranno al circo. Così potrà vedere da vicino le foche danzanti e i cagnolini che parlano.

La mattina dopo vengono tirate giù dal letto dalla donna del piano di sotto: «sveglia, ragazzine. Oggi si lavora. Basta poltrire! prima però vi devo lavare i capelli. Qui ci sono i caschi, c'è lo shampo, la valigetta per il trucco... avete preso il caffè? a proposito, il mio nome è Mà, potete chiamarmi così».

Cate ha gli occhi rossi, i capelli schiacciati contro la guancia ed è pronta a ricominciare il suo eterno pianto. Viollca la guarda con disprezzo, stringendo l'orsacchiotto Malek al petto. Finché c'è lui non piangerà.

«Capelli brutti, capelli brutti. Ora laviamo, coloriamo... forza, forza giù dal letto!»

Viollca avrebbe voglia di chiederle cosa dovranno fare ma le parole le rimangono appiccicate al palato, non riescono a prendere forma.

La donna si rimbocca le maniche, le porta una alla volta in bagno e lava loro la testa, aggiungendo allo shampo del disinfettante, quasi fossero piene di pidocchi. Ma da dove crede che vengano?

«Tu, Viollca, passami i rotoli, e tu, Cate, smetti di piangere se no stasera non potrai uscire. E per ogni giorno di lavoro in meno ci sono dieci frustate.»

Cate la guarda da sotto i riccioli biondissimi, supplice e sorpresa. Ma dirà sul serio quella donna? Eppure non ha l'aria della guardiana di carcere. Anche se in fondo a quegli occhi azzurri slavati si intravvede qualcosa di tagliente, il sorriso luminoso e il doppiomento la rendono rassicurante. Solo in certi momenti, quando dice "hai capito?" piegando la testa da un lato, il suo sguardo si fa penetrante e rigido.

«Ecco, ora tocca a te, Viollca. Levati la camicetta così non te la bagni.»

Anche lei viene lavata, disinfettata, arricciata e truccata. Quando esce da sotto il casco si guarda con meraviglia. Quella nello specchio non è la Viollca che lei conosce ma un'altra, una specie di donnina buffa e stralunata che si affaccia dal vetro come da uno schermo di cinema.

La sera, quando i due compatrioti vengono a prenderle, Mà le porta giù per le scale, tenendole per mano come fossero due bambole da mettere in vetrina.

Con le gonne al sedere, le gambe velate da calze a rete, il reggicalze rosso che sbuca da sotto le mutande, i tacchi alti, il top scintillante e la giacchina di velluto su cui spiccano i riccioloni biondi, le due ragazzine appaiono sulla porta, sbalordite, come due personaggi di fumetti porno.

«Uau!» grida il più giovane dei *patron* e dà una pacca sul sedere a Mà. «Mettile in macchina che noi ci prendiamo un caffè e veniamo subito.» Le due bambine vengono fatte salire in automobile, sul sedile posteriore foderato di pelliccia sintetica.

Non piove più. La sera è tiepida nonostante sia dicembre e nell'aria si sente un leggero profumo di caffè. Ora corrono lungo le strade piene di luci di una Roma invernale. Le vetrine sono cariche di addobbi natalizi. Peccato che la macchina vada tanto veloce. I due parlano fra di loro e se hanno qualcosa da dire, si rivolgono a Mà. Cate e lei è come se non avessero orecchie.

«La ragazzina deve buttare via quell'orso. Non è possibile che si presenti con quell'orribile animale spelacchiato.»

«Se glielo levi, strilla... E poi non è detto che non piaccia di più così, attaccata al suo giocattolo. Fa più bambina.»

Ridono. Ma poi si rimettono a discutere accanitamente di soldi.

Un posto di blocco. Il guidatore accelera. L'altro gli dà sulla voce: «non accelerare, imbecille! vai tranquillo. Non accelerare, vai come l'olio».

I poliziotti sono intenti a chiacchierare fra di loro. Non rivolgono nemmeno uno sguardo alla macchina con le due bambine.

Poco dopo arrivano in una piazza quadrata, con al centro delle bancarelle di legno verde, sprangate.

«Falle scendere da quella parte. Via su, su, rapide!»

Le ragazze salgono i gradini a due a due come è stato loro ordinato. Mà viene dietro ansimando. In fondo, per ultimi, i due *patron* dalle scarpe di tela e gli occhiali scuri sulla faccia pallida.

Una porta si schiude. Un braccio di donna si sporge. Mà saluta e se ne va. I due uomini parlano sottovoce con la sconosciuta che è più giovane e ben vestita e infine se ne vanno.

Viollca e Cate vengono fatte entrare in due stanze diverse. La donna, che si presenta come Gabriella, spruzza loro addosso uno spray che sa di aghi di pino e moschicida.

«Ora aspettate. E siate gentili. I signori pagano bene. Danno soldi» fa un gesto eloquente con le dita, «vogliono bambine. Dichiarate dieci anni anche se tu ne hai dodici e tu Cate, quasi quattordici. Non staranno molto. Chiudete gli occhi e pensate ad altro. Non sarà grave. Mai gridare, mai piangere, mai scappare. Kuptove, chiaro?»

Viollca la osserva da sotto in su. Questa Gabriella ha qualcosa della sua mamma: le braccia rotonde, lentigginose e il naso piccolo a patata. E se l'abbracciassi? ma probabilmente è proibito anche questo. Stringe al petto il suo Malek e si lascia chiudere dentro la stanza.

Davanti a lei c'è un letto ricoperto da una coltre a fiori, accanto al letto, una poltrona rivestita della stessa stoffa fiorita. In basso, un tavolinetto di vetro con sopra una bottiglia di acqua, una di whisky e una ciotola piena di cioccolatini. Viollca se ne porta alla bocca due, dopo avere appallottolato la carta e averla gettata sotto il letto. La finestra ha gli scuri accostati. Sul comodino un paralume dalle frange di cristallo manda una luce rosa, caramellosa.

Viollca si siede sul letto e aspetta cullando l'orsacchiotto Malek.

Si è quasi addormentata quando sente la porta aprirsi.

«Si può?» Fa capolino un nano buffissimo con un cappello più grande della testa che gli poggia sulle orecchie.

Viollca sorride. Lui si avvicina in punta di piedi e le bacia la mano. Poi si toglie il cappello e lo posa con delicatezza sulla poltrona. Potrebbe esserci un coniglio in quel cappello. Anzi, le pare proprio di intravvedere una codina bianca. Ma ora l'uomo le viene addosso e la soffoca stringendole la testa contro il petto.

Gabriella ha detto: mai gridare, mai piangere, mai scappare. Viollca tiene la bocca e gli occhi serrati. Si chiede dove sarà andato a finire il suo Malek che l'uomo ha scaraventato via con una manata, nell'abbracciarla.

Ma che fa, piange il nano buffo col coniglio nel cappello? le si strofina contro e piange sbuffando. Dove sarà

Malek? apre gli occhi per cercarlo e vede che l'uomo ha tirato fuori dai pantaloni una salsiccia bruna. Quindi prende le mani della bambina e le stringe sul salsicciotto che è morbido come fosse di bambagia.

«Sei la mia bambina» le mormora nell'orecchio e di nuovo piange. Forse ha perduto una figlia. Ha l'aria così fragile. Ma poi improvvisamente si mette a ridere e con un dito le fa il solletico sull'ombelico scoperto.

«Ma come ti hanno conciata, eh? povera bimba. Tieni, questi prendili per te. Non li dare a nessuno. Lo so che ti rubano quei ladri. Mettili da parte, non farli vedere a nessuno.»

Viollca osserva le duecentomila lire che tiene fra le dita. Intanto vede l'uomo che si torce, sussulta e poi sputa dalla salsiccia qualcosa di bianco che le sporca la calza a rete.

«Mettili nel reggipetto» suggerisce accompagnando le parole con un gesto palese. «Sono tuoi, questi soldi, non te li fare prendere.»

Viollca infila le duecentomila lire nel reggipetto. L'uomo ora è in piedi e si sta rimettendo in testa il cappello. Poi, con passettini leggeri, si avvia verso la porta. Prima di chiuderla, le manda un bacio con le dita.

Viollca si mette a quattro zampe per cercare il suo Malek che è finito sotto il letto. Lo spolvera, lo bacia, lo culla dolcemente cantandogli la ninnananna che sua madre cantava a lei.

La porta si apre bruscamente. Gabriella ora è di fronte a lei con la mano tesa. Cosa vorrà? l'altra mano è piantata sul fianco, e tutto quel corpo di donna materna esprime impazienza e rabbia.

Poiché la bambina non si scompone, la donna si avvicina ancora di più, le caccia una mano nel reggipetto e tira fuori le duecentomila lire. Le pigia in una tasca. Con la stessa mano le tira un ceffone, doloroso perché le dita sono coperte di anelli.

«Mai rubare! mai tenere soldi per sé. Sennò, botte. A me non nascondi niente, niente, kuptove?»

Intanto la porta si apre di nuovo. C'è un giovane sulla soglia, con un impermeabile sul braccio, la faccia aggrondata.

«Dov'è la vergine?»

«Ecco, un momento. Aspetti fuori che la sistemo. Quanta fretta, un poco di pazienza, no?»

«Per settecentomila lire pure le cerimonie; no, grazie.»

E prende a sbottonarsi i pantaloni. Gabriella lo guarda un momento, soppesandolo, poi decide di lasciare perdere e si allontana chiudendosi dietro la porta con delicatezza.

Il giovanotto si è tolto i pantaloni e li ha piegati meticolosamente sulla poltrona. Ora si toglie la camicia che appende alla spalliera della poltrona, quindi si strappa via i calzini dai piedi e li ripone, dopo averli piegati in quattro, dentro le scarpe.

Con addosso le mutande e una canottiera bianca si avvicina a lei. «Sei tu la vergine?»

Viollca china la testa stringendo a sé lo sdrucito Malek.

Senza aggiungere una parola, l'uomo le si butta addosso e prende a maneggiarla. Viollca chiude gli occhi, stringe i denti. Si fa di sasso. Il suo Malek è di nuovo per terra e non può vederlo. Chissà se lui può vedere lei, da sotto in su, mentre questo energumeno la schiaccia sotto il suo peso.

«Vieni, vieni, vieni» lo sente urlare. Ma dove?

Apre un momento gli occhi e lo vede sopra di sé, la testa all'indietro in cima alle braccia tese che si appoggiano al letto sopra la sua testa. Dal petto nudo colano gocce di un sudore che sa di cane bagnato. Forse è un cane trasformato in uomo. Viollca prova a guardargli i piedi per vedere se hanno la forma delle zampe. E vede qualcosa di scuro e di peloso. «Ti ho fatto male?» dice lui ansimandole sulla bocca.

Lei non riesce a spiccicare parola. Il dolore è forte, acuto, come uno strappo dall'interno delle viscere. Il cane ha morso, il cane ha morso. Se smettesse almeno di gocciolare.

Ora ha freddo alle gambe che sente gelate e immobili sul lenzuolo. Il ventre pure è gelato e di sasso.

Verso l'una tornano i due uomini a prenderle. Gabriella sta contando i soldi. E brontola contro Cate che ha pianto sempre.

«Com'è andata?»

«Bene. Ecco i soldi. Esclusa la mia parte.»

«Tutte e due bene?»

«La piccola è stata buona. L'altra ha pianto sempre. Un cliente se n'è andato senza avere combinato niente.»

«Ha pagato?»

«No, e come potevo...»

«Troia, troia, troia!» Il più giovane dei *patron* si butta su Cate e la colpisce con calci e pugni. Cate cade per terra. Viollca la guarda senza fiatare. Ha quasi staccato un orecchio al suo Malek per non piangere.

«Lo sai cosa ho dato a tuo padre per te, lo sai? tre milioni e mi fai scappare i clienti? troia, bushtër, cagna!» la prende a calci sulla testa, sul ventre.

«È piccola, non sa niente, lasciala stare» dice Gabriella con voce flebile.

«È piccola e impara. È piccola e impara!»

Il più anziano lo afferra per un braccio. «Non sciupare la merce, Gheo, così la rovini.»

«Domani voglio vederti sorridere, altrimenti sono botte.»

Ma Cate non smette di singhiozzare. Con la faccia sporca di sangue e di muco, scalcia, urla, poi sembra soffocare nei suoi stessi singhiozzi.

«Io a questa l'ammazzo.»

«Domani si sarà calmata, ci penso io, lasciala stare. È nuova... Si deve abituare» dice Gabriella con voce più sicura, sapendo che uno dei due è dalla sua parte.

Sono le tre di notte quando le due ragazze vengono riportate a casa. Viollca si butta sul letto ma non riesce a dormire. Nel buio della stanza aspetta che il suo corpo di sasso torni a farsi carne. Ma i sassi non si sciolgono. Rimangono sassi in eterno. È così che ora vede le sue braccia, lontanissime da lei e pesanti come rocce, le sue gambe di pietra, che non riesce a spostare. Il suo ventre è un macigno che giace immobile e indifferente come sono le pietre, su quel letto estraneo e gelato.

Forse è già morta e piano piano il suo corpo e la sua mente stanno per diventare parte di un infinito paesaggio roccioso.

Ma qualcosa di insistente la riporta alla vita: il suono dei singhiozzi da lupo di Cate che non accenna a smettere. Viollca si tappa le orecchie con il palmo delle mani e sprofonda in un gelido sonno minerale.

Nei giorni seguenti tutto diventa più facile. Cate smette di piangere. Si lascia guidare dalle mani dure e affettuose di Mà che la veste, la pettina, l'accompagna al lavoro, senza più lamentarsi. La sua faccia si è fatta impassibile e assente. Mà, per aiutarla, le rifila di nascosto delle pastiglie di tranquillante.

Quando torna a casa Cate si chiude in cucina dove manda giù il whisky che tengono per i clienti. I due *patron* lo sanno ma fanno finta di niente.

Fra le pillole e il whisky si è ripresa e qualche volta arriva pure a ridere. La mattina dormono fino a tardi. Poi fanno il bagno. Quindi si seggono davanti al televisore. Nel pomeriggio arrivano i due *patron* e le portano alla casa di appuntamenti. Lì i clienti fioccano, perché due giovanissime così non le trovano tanto facilmente sul mercato del sesso.

La sera Gabriella conta il denaro, prende per sé il tre per cento, e il resto lo dà ai due *patron*. Alle ragazze non tocca niente. «I soldi li mandiamo ai vostri genitori, state tranquille.»

Una volta avviato il commercio, la sorveglianza si fa meno feroce. Non si parla più di fruste né di botte. Qualche volta il giovane arriva perfino ad offrire loro una sigaretta. Il vecchio ogni tanto solleva loro le gonne per controllare le mutande. Ma niente altro.

Un giorno Viollca scopre che Gabriella la spia da un buco nella parete mentre subisce l'abbraccio dei clienti. Quell'occhio lucido e notturno che intravvede dietro il buco le mette paura. Decide di escluderlo appoggiando contro la parete uno specchio. Ma il giorno dopo lo specchio è sparito e la pupilla scura è di nuovo lì, liquida e scintillante a spiare i suoi movimenti.

Viollca alza le spalle. Che importanza ha? La difficoltà sta per lei soprattutto nel trasportare tutti quei sassi da una casa all'altra verso le due di mattina. Ogni notte si fanno più ingombranti e più pesanti. Le cose che l'aiutano sono l'abbraccio di Malek che ogni tanto sorride da solo e la risata sorda di Cate, quando si fanno delle grandi mangiate di cioccolato.

«Quanti anni hai?» È un nuovo cliente, tutto vestito di scuro. Seduto sul letto accanto a lei.

«Dieci.» Così le hanno detto di dire.

Il cliente non accenna a spogliarsi. La guarda con commiserazione e continua a fare domande.

«Da quanto tempo vieni qui?»

«Tre mesi, credo.»

«Da dove vieni?»

«Shijak, Albania.»

«Tuo padre e tua madre lo sanno che sei qui?»

Viollca china la testa. Cosa rispondere a questo intruso? nessuno le ha mai fatto tante domande.

«Quanti clienti al giorno?»

«Non so. Otto, forse.»

«Adesso ti portiamo fuori, non ti preoccupare, ti portiamo a casa. Non dire niente. Non parlare di me, per carità, tieni la bocca chiusa. Domani torno a prenderti. Ti fa piacere?»

Viollca stringe Malek al petto. Per andare dove? con chi? e di Cate che ne sarà? ma non osa fare domande.

L'uomo si infila il cappotto. Esce senza aggiungere una parola. Lei lo sente discutere a voce alta con Gabriella. Tira sul prezzo per non metterle sospetti.

La mattina dopo, Viollca viene svegliata da un urlo di sirena. Che ci sia stato un incidente? Ma le sirene si fermano sotto la loro casa.

Si sentono rumori di passi per le scale. E poi un bussare frenetico alla porta. Viollca va ad aprire. Si trova davanti il giovanotto del giorno prima, vestito da poliziotto.

«Hai visto?» le strizza l'occhio, sorridendo. Ha in mano una pistola e gira per la casa seguito da altri vestiti come lui.

«Dove sono i due uomini?»

«Qua no.»

«Dove?»

«Non so.»

Frugano dappertutto, ma trovano solo Cate raggomitolata nel suo letto, talmente piena di pillole e di whisky da sembrare una deficiente. Li guarda a bocca spalancata e si gratta la testa dai capelli tinti, scompigliati.

Le due ragazzine vengono portate alla centrale. I documenti falsi gettati in un canto. I genitori, rintracciati per telefono, giurano di non sapere niente. Cominciano gli interrogatori. Viollca seduta in punta di sedia risponde stentatamente, nel suo italiano saltellante imparato davanti alla televisione. Prima di cominciare a rispondere chiede solo, con voce timida, se può tenere con sé l'orso Malek.

La commissaria Adele Sòfia le accarezza la testa. «Quei due li prenderemo» dice guardando la bambina che le sta di fronte e ha lo sguardo di pietra.

Le galline di suor Attanasia

La piccola pancia rotonda sta crescendo a vista d'occhio. Suor Attanasia ci appoggia sopra le due palme aperte per seguire i movimenti appena percepibili del suo amato ospite. Sono già due mesi che tiene dei dialoghi segreti con lui e quando gli parla la voce le diventa fluida e dolce come il miele di castagno.

Madre Orsola avrebbe voluto che abortisse: «una suora incinta è inammissibile, e dove partorirebbe? cosa direbbe la gente? e che esempio darebbe?».

«Tutti sanno che il convento è stato assalito tre mesi fa da quei senzadio, tutti sanno che due sorelle sono state sgozzate, tutti sanno che noi ci siamo salvate solo perché eravamo in viaggio, tutti sanno che suor Attanasia è stata stuprata e poi abbandonata, ferita, vicino alla statua della Madonna a cui hanno tagliato le braccia. Credevano che fosse morta, ecco perché l'hanno risparmiata» si accanisce suor Giuditta che è più giovane e combattiva della vecchia suor Orsola.

Le aveva ascoltate discutere, incollata al buco della serratura, suor Attanasia. Sapeva di fare male ma la curiosità era troppo forte. Stavano decidendo del suo destino e lei pensava di avere diritto di sapere.

«Farla abortire non si può. Tenere il figlio nemmeno. La manderemo a casa.»

«Ma suor Orsola, siamo già così poche qui dentro. Se viene a mancare suor Attanasia che è la più giovane e la più robusta, come faremo con l'orto e con la macina dell'olio e con le galline, poi, che fanno le uova solo se lei ci parla? e il computer? suor Attanasia è l'unica a saperlo manovrare e se perdiamo lei perdiamo l'accesso all'archivio del convento.»

«Chiederemo consiglio al vescovo.»

«Neanche fossimo ai tempi della monaca di Monza!»

«Il vescovo ci dirà se farla abortire, e questo sarebbe proprio il caso, o mandarla a casa, senza velo.»

«Non è colpa sua se è stata stuprata, suor Orsola. Se non avesse avuto quella tremenda ferita sulla spalla e non fosse svenuta, sarebbe sottoterra, come le altre.»

«Ma allora cosa proponi, suor Giuditta?»

«Propongo di tenerla qui dentro e di accogliere questo bambino che la santa Vergine non può non amare; è nato senza conoscenza di sesso, come suo figlio.»

«Non dire eresie, suor Giuditta» grida suor Orsola facendosi rapidamente il segno della croce.

«Suor Attanasia continuerà a lavorare nell'orto, nel pollaio e al computer. Nessuno la vedrà, terremo segreto il suo stato e quando nascerà il bambino vedremo il da farsi.»

«Non è bello vivere nella menzogna.»

«Ai nostri superiori diremo la verità e anche alle consorelle. Solo alla gente di fuori non lasceremo sapere niente, suor Orsola. Vedrai che non sarà una cosa difficile. D'altronde suor Attanasia mi sembra felicissima di partorire questo figlio. Lasciamola tranquilla.»

«Mi sembri troppo tollerante, suor Giuditta. Non vorrei che Dio ci punisse per questa arroganza. Dobbiamo prima ascoltare i nostri superiori.»

«La lettera l'abbiamo spedita per chiedere un parere. Nessuno ha risposto ancora. Ora però è importante non dividerci, dobbiamo radunare le nostre forze per difendere il convento. I senzadio potrebbero tornare.»

«Non sono senza Dio, sorella, ricordalo. Tutti questi delitti, questi sgozzamenti, questi stupri, sono compiuti in nome di un Dio.»

«Io non penso che i veri musulmani credano a questa balla. Maometto, come Gesù, predicava la fratellanza e l'amore, non l'odio e il delitto.»

A questo punto suor Attanasia si era allontanata contenta. Sapeva che l'avrebbero tenuta e le avrebbero permesso di continuare quel dialogo segreto col suo piccolo, innamorato ospite.

Di nascosto si ingozza di miele e di pane. Il bambino nel suo ventre infatti chiede cose dolci e profumi fragranti come quelli del pane appena uscito dal forno.

Le sorelle della Carità in Cristo si sono chiuse a riccio per proteggere la piccola Attanasia e il suo segreto. Nessuno entra od esce dal convento senza che lo sappia suor Orsola, la madre superiora. E ogni volta molte porte vengono sprangate, altre tenute aperte giusto il tempo necessario. Ci sono delle zone del convento a cui nessuno ha accesso, salvo le sorelle più fidate.

D'altronde il vescovo non ha risposto. «La lettera sarà andata perduta» dice a mezza voce suor Orsola, «non sarebbe la prima volta e queste non sono cose di cui si possa parlare per telefono.»

La vita è ripresa monotona e operosa fra la cura dell'orto, l'accoglienza dei bambini malati, le lezioni nella scuoletta annessa alla chiesa.

Suor Attanasia prosegue il dialogo affettuoso col suo bambino: «non so neanche se sei maschio o femmina, ma che importa, io ti amo così come sei, con le tue manine piccole come due chiocciole dal guscio molle, i tuoi piedini gonfi e storti, la tua testolina da vecchio – li abbiamo visti i feti come sono, in un documentario che gira per le missioni – con i tuoi occhi chiusi, il tuo collo minuto da gallina. Ma quando il vescovo ti avrà fra le mani, ti solleverà in alto e dirà: ecco, il frutto più prezioso del convento delle suore della Carità in Cristo!

«Non voglio pensare alle sorelle morte sgozzate, vedo ancora i loro occhi terrorizzati e le loro mani che si sollevano per fermare gli assassini; non voglio pensarci altrimenti chissà come diventi brutto, figlio mio. Non voglio neanche pensare a quell'uomo che si è buttato su di me col coltello alzato, la mitraglietta che gli ballava sul petto. Nel colpirmi il collo ha sbagliato mira e mi ha squarciato la spalla. Vedendo tutto quel sangue, anziché provare pietà, ha provato eccitazione, mi è saltato addosso. Ha perso tempo, gli altri lo chiamavano, io credevo di essere morta, e lui mi ha lasciata lì, convinto di avermi ammazzata. Ma io non ero morta, bambino mio, che anzi, ero doppiamente viva, perché in me vivevi tu... Quell'uomo se n'è andato. Non saprò mai che faccia aveva, perché era coperta da un passamontagna. Ricordo solo un odore forte di menta schiacciata e grasso di fucile. Ricordo un dolore lacerante e l'umiliazione di un corpo che preme e aggredisce. È grave non riuscire a odiare il frutto del tuo nemico? del tuo stupratore? è un peccato non riuscire a provare ribrezzo per il figlio di un senzadio come direbbe suor Giuditta?».

Il bambino le risponde con dei piccoli movimenti delicati che suor Attanasia interpreta di volta in volta come assensi o dinieghi. In pochi mesi ha imparato perfettamente il linguaggio del suo bambino ancora muto.

«Preghiamo insieme la Madonna che ci ha salvati» dice interrompendo il suo lavoro nell'orto. E si inginocchia sulla terra rossa e scaldata dal sole, giunge le mani e chiude gli occhi per raccogliere in sé le parole di un sincero ringraziamento.

Suor Orsola ha fatto alzare i muri intorno all'orto per cui nessuno può vederla mentre strappa le erbacce e innaffia le zucchine tenendosi una mano sulla pancia.

Poi andrà al pollaio. Le galline stanno starnazzando e solo lei riesce a tranquillizzarle. Quando spinge il cancelletto di legno, le svolazzano incontro e si accoccolano ai suoi piedi, non soltanto per beccare le verdure tritate e il mais che porta nel secchio di plastica ma per ascoltarla parlare. Suor Attanasia ha una voce mobile, leggera e argentina che le galline amano particolarmente. «Che belle uova, gallinelle, sembrano pronte a volare» dice e perfino il gallo, con quei bei colori iridati, quella cresta rossa di cui va molto fiero, si avvicina ai piedi di lei e, facendo finta di beccare qualche granello di mais, la ascolta beato.

«Il cielo è pulito, gallinelle mie, c'è solo una nuvola arancione che si è fermata proprio qui sopra, per darvi un poco di pioggia, ma poca poca, un'acquerugiola dolce, giusto per rinfrescarvi dopo tanta afa e tanta polvere... ringraziamo la Madonna che ha avuto uno sguardo affettuoso per le sue derelitte gallinelle africane.»

Fanno più volentieri le uova e litigano meno quando lei si ferma a parlare con loro. Il gallo qualche volta solleva verso di lei il capino beccuto e lancia uno stridulo chicchirichì, solo per esprimere la sua approvazione.

Ma suor Attanasia è richiesta anche in cucina. Le sue torte alla frutta esotica sono molto apprezzate e tutte le reclamano. Spesso arrivano perfino ordini da fuori e lei impasta la farina, rompe le uova, taglia i canditi, lavora la ricotta, immerge i cubetti di mango e di banana dentro la gelatina di kiwi.

La sera, poi, si dedica al computer, in cui ha raccolto minuziosamente tutti i dati relativi al convento. A volte lavora fino a notte, mettendo in colonna le cifre, facendo somme e sottrazioni. La situazione economica del convento non è rassicurante. Ci sono ancora molti debiti degli anni passati da pagare, la scuola costa, l'ospedaletto per i bambini ha un continuo bisogno di nuove medicine e i soldi non bastano mai. In più bisogna calcolare i continui salassi dovuti alle richieste dei fondamentalisti che promettono protezione dietro pagamenti salati. Ma dov'erano quando le sorelle sono state sgozzate, la cassa del convento rubata, lei stessa stuprata e la statua della Madonna mutilata?

Sono venuti in cinque, con la mitraglietta a tracolla. Hanno detto che si tratta di una guerra fra religiosi ed eretici. Loro sono i veri religiosi, gli altri gli eretici. Sono stati questi ultimi a saccheggiare, stuprare, uccidere e loro ora vogliono soldi per "andare a punirli", anche a nome del convento.

Se non fosse per l'orto, nel convento non ci sarebbe niente da mangiare. Perfino le galline, in questi giorni di guerra civile, hanno smesso di fare uova. E solo dopo ore di conversazione e canzoni, suor Attanasia riesce a portare in cucina qualche minuscolo uovo fresco.

Nella saletta adibita ad ospedale, dove una volta si prodigava, ora ha ordine di non farsi vedere: «nessuno deve sapere che abbiamo una suora gravida...».

Solo il medico, il dottor Mohamed Kumahini, ogni tanto ha il permesso di entrare di soppiatto nella parte più segreta del convento. Visita la sorella Attanasia fumando una pestilenziale sigaretta francese, sorride, china la testa pelata e in una lingua fantastica che mescola il francese con l'arabo e con il dialetto locale, dice che la gravidanza procede «comme il faut» e la futura madre «n'est pas mal». Una sola cosa non capisce: perché il latte non accenna a scendere nelle mammelle pietrificate della giovane suor Attanasia: «le lait, walda, ina?» dice puntandole l'indice contro il petto: «le lait, bnita, où est? winta taussal?».

Ma che può sapere una povera suora del latte materno? «I seni devono riempirsi» le sussurra suor Giuditta concitata «mangia della capra bollita pure tu.» Ma lei ha deciso da molti anni di non mangiare più carne. Da quando è stata costretta ad uccidere una pecora. L'ha sentita morire sotto le dita, ha osservato quegli occhi innocenti che si spegnevano piano piano chiedendo dolcemente: perché, sorella, perché? Da allora ha giurato a se stessa che mai più in vita sua avrebbe ammazzato una bestia e mai più avrebbe messo in bocca carne straziata da altri.

«Ci si può saziare di broccoli, carote, patate e fagioli» dice al suo bambino suor Attanasia nei colloqui notturni, «intanto preghiamo la Vergine per questa bocca che ci ha dato, la quale si apre e prende il cibo ed è capace di godere dei sapori e degli odori... ancora non conosci l'odore dell'olio di oliva, bambino mio, dell'olio del mio paese, non quello che fanno qui, estratto dalle palme che è appiccicoso, dolciastro e rossiccio, ma l'olio della mia Umbria, amaro e profumato. La stessa bocca che si apre a ricevere il corpo di Cristo, capisci, si apre per gustare un pezzo di torta al mango, non è un miracolo? Anche se io non ho mai capito perché il corpo di Cristo vada mangiato, neanche fosse una torta, un pezzo di agnello, un pasticcio di patate... Il corpo di Gesù, con quel sapore di carta che ha l'ostia, quell'odore di chiuso... qualche volta sento il guizzo di un ricciolo di cipolla e capisco che si tratta di Padre Donato, perché a lui spesso le dita gli puzzano di cipolla e di aglio. È il solo fra i Padri che rifiuti di essere servito da una donna. E pensare che lo farebbero gratis, perché è un bel giovane, dal sorriso d'angelo. Ma lui preferisce organizzarsi da sé: «non mi piace che qualcuno mi serva», dice Padre Donato che viene da Pescasseroli, in Abruzzo, ed è un uomo retto e gentile. «Io non voglio delle schiave ma delle sorelle» dice e ride come un bambino. Forse gli piace un poco troppo il vino. Ma dopo che ha lavorato quindici ore fra ammalati di colera, bambini con l'AIDS e giovani lebbrosi, si potrà godere un poco di vino in pace, no? «Se non bevo, sorella Attanasia, non riesco a dormire» le aveva detto un giorno che era stato sorpreso attaccato al collo della bottiglia.

Lei aveva colto l'occasione per chiedergli: «padre, ma perché dobbiamo mangiarlo il Cristo? come facciamo a riverirlo e onorarlo se ce lo teniamo dentro la pancia come un qualsiasi pezzo di pane?».

Padre Donato si era messo a ridere. «Sorella Attanasia, non bisogna troppo cincischiare col pensiero. La religione è una resa del cuore: si ama e perciò si crede, anche contro la logica. Il corpo di Cristo è solo simbolicamente fatto a pezzi e mangiato. Mettendolo in bocca noi facciamo come quegli antichi guerrieri che divoravano l'eroe per appropriarsi un poco della sua saggezza, del suo ardimento, della sua destrezza.»

Suor Attanasia aveva chinato la testa, pensosa. Padre Donato era stato fra i primi a sapere della gravidanza, ma non si era scandalizzato, né aveva proposto, come avevano fatto alcune consorelle, di rimandarla a casa spogliandola del velo, quasi che fosse colpa sua l'avere subito una violenza e essere rimasta incinta.

E quando sorella Giuditta gli aveva comunicato la decisione collettiva di tenerla lì dentro fino al parto, aveva acconsentito sorridendo e in seguito aveva sempre agito con discrezione e rispetto verso la futura mamma suora.

«Padre, un'altra cosa: è peccato amare una creatura nata dalla violenza e dall'odio? è peccato affezionarsi così tanto ad una povera creatura che porta nella sua memoria carnale la storia di un'altra nazione, di un'altra religione?»

«Affidati al Signore, sorella Attanasia. Lui ti farà sapere cosa fare. L'amore non è mai peccato.»

«Padre Donato ha detto che non è peccato» si ripete suor Attanasia a fior di labbra. Anche la Madonna, che ora ha le braccia nuove e un velo celeste squillante appena dipinto sulla testa, la guarda con affetto. «Anche tu hai conosciuto i rimescolamenti della gravidanza, madre mia, e non hai conosciuto le gioie del sesso, proprio come me, solo che la colomba dello Spirito Santo ti ha sfiorata con un'ala mentre io ho subito lo scempio... so che mi capisci lo stesso, madre mia, anche tu vergine e madre, mi capisci lo stesso, vero?»

Ma un giorno, una bella mattina di sole, mentre il convento è nel pieno della sua attività: mentre suor Benedetta insegna il catechismo nella scuoletta col pavimento di cemento, mentre suor Angela cucina la zuppa di ignam, mentre suor Attanasia è intenta a raccontare favole alle galline nel pollaio affollato, mentre suor Orsola fa i conti che non tornano mai, mentre suor Giuditta legge il Vangelo, d'improvviso il silenzio del convento viene scosso da un furioso scampanellìo. La paura è tale che tutte rabbrividiscono e aspettano in silenzio che suor Agata, la portinaia, vada a vedere.

«È il postino!» grida contenta e tutte si rimettono al lavoro. Ma il postino è in divisa, cosa che non succedeva da mesi. Che sarà?

Il postino Ahmed di solito arriva trafelato, in bicicletta, con la maglietta sbrindellata e un paio di pantaloncini corti che hanno perso ogni colore a furia di essere lavati e rilavati, i piedi nudi sui pedali e una penna infilata dietro l'orecchio.

«Che è successo, Ahmed?» lo interroga suor Agata spaventata.

«Una lettera dal Vescovado.»

Suor Agata prende la lettera fra due dita, come se scottasse. Chiude rapidamente la porta in faccia al postino Ahmed tutto in ghingheri e corre da madre Orsola per consegnarle la preziosa missiva.

Suor Orsola annusa la lettera, poi la soppesa sul palmo e fa una smorfia come a dire "pesa!". Lancia uno sguardo alla piccola suora zoppa che sta in piedi sulla porta e la caccia con un «vai, sorella Agata, e lasciami sola».

Così nessuno assiste alla lettura della missiva del vescovo. Ma la sera tutto il convento sa che dal Vescovado è arrivato il permesso speciale per rimandare a casa la "povera fanciulla così gravemente provata dalla violenza subìta. Una volta toltasi il velo potrà poi decidere se tenere o no il figlio della violenza. Certo, dopo la crudele efferata violenza subìta dalle sorelle della Carità in Cristo e dopo gli effetti davvero indesiderabili di quella violenza, non si ritiene opportuna la permanenza della suddetta suor Attanasia nel convento di Taoudéni, ai confini con la pericolosa Algeria".

Suor Attanasia, quando apprende la sua sorte, cade svenuta in mezzo alle galline. Dalle braccia le scivolano via due uova che rotolano lontano senza rompersi.

Suor Angela e suor Agata la trasportano su da suor Orsola che guarda con commiserazione a quella povera pancia ormai talmente visibile che perfino le ampie gonne castigate dell'ordine non riescono a nascondere. «Adesso prepareremo ogni cosa e ti faremo arrivare sana e salva a casa tua, vedrai.»

Ma suor Giuditta la pensa in un altro modo: «che ne sanno loro di cosa succede qui? che ne sanno questi uomini di una donna incinta? anche volendo, Attanasia non potrebbe abortire, siamo al sesto mese, suor Orsola, cosa farneticano laggiù? e dove la vogliamo mandare che non ha più casa, non ha più famiglia, non ha più amici. A partorire in mezzo ad una strada?».

Suor Orsola l'ascolta in silenzio non sapendo che pesci prendere. Ma ci pensano le altre, con le loro voci allarmate, tutte dalla parte di suor Attanasia, a convincerla.

E così, in un segreto ancora più completo, suor Attanasia porta a termine la sua gravidanza all'interno del convento delle suore della Carità in Cristo alla periferia di Taoudéni nel Mali del nord, al confine con l'Algeria.

E finalmente, nel mese di aprile, in mezzo ad un tripudio di fiori lilla e gialli, di farfalle appena nate e di grilli che saltano allegri, nasce una bambina scura di pelle e di capelli che viene chiamata Maria Concepita Innocente.

Le sorelle organizzano una piccola festa con banane fritte, pesci di fiume e birra di miglio. Padre Donato di Pescasseroli porta in regalo alla bambina una capretta che anche un bambino può mungere e ricavarne un secchiello pieno di latte grasso, dal sapore aspro e lanoso. Perfino il dottore Mohamed Kumahini si è mostrato contento per come è venuta alla luce la bambina, senza forcipe, senza cordoni ombelicali attorcigliati attorno al collo, pacifica e silenziosa.

Suor Attanasia la allatta, vergognandosi delle sue consorelle che a ogni momento scappano a visitarla, lodando le guance rotonde, i piedini gonfi, e le manine accartocciate, come due chiocciole scure, della neonata.

Ma qualcuno ha saputo, ha fatto la spia. E presto arrivano altri ordini dall'alto: la piccola Maria Concepita Innocente deve essere mandata in orfanotrofio a Roma. La madre, se vuole rimanere in convento, non potrà, per cinque anni, avvicinarsi all'altare. Nessuno dovrà, per nessuna ragione, parlare più del fatto. E si fa rimprovero alla madre superiora, suor Orsola, di non avere subito mandato a casa la suora gravida. Anzi, si caldeggia al più presto una nuova votazione per mettere al posto di questa madre superiora un'altra suora che vive a Lagos ed ha una idea ben diversa dell'ubbidienza.

Suor Attanasia china la testa mentre le lagrime le scendono giù dagli occhi. «È meglio per lei, devi capirlo» la consola suor Giuditta, «non rischierà di prendere la malaria come l'abbiamo presa noi, non rischierà di essere attaccata dalla filariosi, come suor Agata che ha la faccia rigata dai tunnel che quello schifoso verme le scava sotto la pelle e che nessuna medicina riesce a cacciare via.»

Il giorno dopo, due energumeni vestiti di bianco vengono a prendere la bambina che, tutta infagottata com'è, viene caricata su un fuoristrada inzaccherato di fango con una croce bianca dipinta sul fianco.

Suor Attanasia torna al lavoro nell'orto, protetta dalle alte mura fatte costruire da suor Orsola. Ma il cuore è morto e giace nel petto come dentro un sarcofago.

Da quel giorno smette di ridere e di parlare nonostante le suore la sollecitino con carezze e provocazioni di ogni genere. Erano così abituate alla sua allegria che adesso il convento appare loro vuoto e sinistramente silenzioso.

Per fortuna l'arrivo della nuova madre superiora da Lagos è stato scongiurato da una supplica di suor Orsola al vescovo, accompagnata da numerose parole di contrizione e di scusa. Dopodiché la superiora è costretta a diventare più severa e guardinga. Ad ogni intoppo si precipita a controllare le regole dell'ordine. Suor Giuditta è stata messa "al suo posto" come una pericolosa ispiratrice di "comportamenti immorali ed eretici".

Insomma, suor Orsola è diventata una "bigotta" come dice suor Giuditta allungando il collo in chiesa, dietro le altre, per seguire la messa.

Poi una mattina ecco che suor Angela si affaccia in cucina e grida: «lo sapete, suor Attanasia ha ripreso a parlare».

«Parlerà con Dio» dice suor Benedetta, chiamata anche suor Vipera.

«Ma no, scema», interviene suor Giuditta, «parla con le sue galline.»

«E che cosa dice?»

«Racconta la storia della sua bambina Maria Concepita Innocente.»

«E canta pure, la sentite?»

«Allora tornerà a fare le torte.»

Ma suor Attanasia non è più tornata a cucinare le torte perché il suo corpo, tranquillo e ordinato, è stato trovato morto sopra una pietra dentro il pollaio, in mezzo alle galline. E il gallo ha cantato per lei tutta la notte un suo amaro e squillante canto di dolore.

Macaca

«No, signor commissario, anzi signora commissaria, come devo chiamarla?, mi scusi, non volevo mica fargli male, volevo solo che pagasse, per una volta, lui che non aveva pagato mai, mai...

«Di giorno mi telefonava trenta volte dall'ufficio: macaca, come stai? e mai un litigio... tutte le amiche me lo invidiavano... dicevano "ti adora", era proprio vero.

«Poi, sarà stato al secondo anno di matrimonio, una mattina mi dice: "vieni qui, macaca". Perché lui mi chiamava così, macaca, e dice che lo fa per affetto, che io sembro una scimmia, dice così, "vieni qui, macaca, fammi vedere le mani". Io gliele metto sotto il naso e lui storce la bocca: "sono sciupate, dove sono le belle mani per cui ti ho sposato?". "Mah, saranno i detersivi..." e lui mi dice: "inginocchiati e chiedi scusa". "Ma scusa di che?" "Scusa di avere trasformato le tue belle mani in brutte mani da casalinga." "Ma Pippo..." "Inginocchiati se mi ami, è un gioco, macaca, è un gioco, non possiamo sempre fare i seri, giochiamo un poco, no? è una tale noia tutto quanto..."

«Mi sono inginocchiata e lui, ridendo, mi ha dato un ceffone. "Così impari a rovinarti le mani" ha detto "e ora chiedi scusa." "Ma di che, Pippo?" "Di essere cambiata e di avermi annoiato."

«Era la prima volta che mio marito mi metteva paura. Non lo capivo più, non capivo cosa voleva da me. Ma poi tutto è tornato normale. Dall'ufficio mi telefonava ogni momento: "macaca, come stai? ti amo, lo sai, ti amo tanto". Così mi sono rassicurata.

«Solo che la notte, ormai, non faceva più l'amore ma si addormentava di botto e prendeva a russare. Un po' di tempo dopo ho capito che questo succedeva perché beveva troppo. Bottiglie su bottiglie, la nostra cucina stava diventando una fabbrica di bottiglie.

«"Mi annoio, macaca; mi annoio" diceva qualche volta appena sveglio.

«"Anche al lavoro ti annoi?"

«"Al lavoro più che mai. Che devo fare?"

«"Vuoi che andiamo a fare un viaggio? ti prendi qualche giorno di ferie..."

«"No, solo l'idea mi annoia mortalmente."

«Ormai si addormentava in qualsiasi momento della giornata: sul tavolo mentre mangiava, sulla sedia davanti al televisore, perfino in ascensore andando al lavoro. Avevo sempre paura che si addormentava in macchina.

«Una sera mi dice: "macaca, ho pensato una cosa bella, tu mi vuoi bene, vero? e allora fai per me una cosa nuova che mi fa passare la noia".

«"Dimmi."

«Sembrava sobrio. Aveva gli occhi scintillanti. "C'è un amico che viene a trovarmi alle undici. Io esco e te lo lascio. Tu cerca di sedurlo. Poi io torno e ci divertiamo."

«"Ma io, Pippo..."

«“Ma io che? macaca, è una cosa nuova, vedrai che ti piacerà. Comincia dicendogli qualcosa di bello sul suo corpo, poi avvicinati sempre di più, soffiagli qualche cosa nell’orecchio ed è fatta.”

«“Ma chi è, non lo conosco.”

«“Vuoi sapere se è un bell’uomo? be’, direi proprio di sì. Mi assomiglia, fra l’altro, quindi non dovrai fare molti sforzi...”

«“Ma io, Pippo, non ce la faccio. Io voglio bene a te, non quest’uomo che non conosco.”

«“Osservazione tipicamente femminile: come se si potesse fare l’amore solo con chi si ama... Il corpo è il corpo, va da sé, vedrai che ti piacerà, lasciati andare.”

«“Ma Pippo, non l’ho mai visto...”

«“Che ti frega, chiudi gli occhi e fai finta che sono io. Dai, ci divertiamo. Sento già che la noia mi sta passando...”

«È arrivato questo suo amico, alto, magro, bello che ha chiesto di Pippo e io gli ho detto: si accomodi, ora arriva mio marito, ma poi non sapevo come andare avanti: mi scusi, si segga, adesso viene Pippo, ma che dovevo fare, tenevo le mani in tasca per non fargliele vedere; mi sembravano gonfie più del solito. L’ho pregato di sedere, ma pure lui stava in imbarazzo, guardava fuori dalla finestra. “Fra quanto viene?” “Non lo so, fra poco.” Poi, pensando alla noia di Pippo, a quello che gli avevo promesso, ho preso il coraggio a due mani, mi sono avvicinata all’ospite e gli ho dato un bacio sulla guancia. Lui mi ha guardata come a dire: ma questa è scema! poi, forse gli era piaciuto, ha detto: “ma allora...” io l’ho abbracciato...

«In quel momento è entrato Pippo, in silenzio senza farsi sentire, non so come ha fatto perché io ho l’orecchio lungo in casa, ma lui è entrato come un gatto e ha cominciato a gridare: "ecco, la troia di mia moglie con il mio migliore amico!". E giù botte. Ma all'amico non le dava, solo a me. Mi ha scaraventato per terra e mi ha preso a calci. Tanto che l'altro, l'amico, si è spaventato e ha cercato di trattenerlo: "così l'ammazzi, lasciala stare, lasciala stare, è colpa mia".

«Invece lui mi tirava per i capelli, mi riempiva la faccia di pugni. Poi, quando proprio pensavo che mi avrebbe uccisa, ha tirato fuori la sua "natura" e mi è venuto addosso.

«La mattina dopo era tutto affettuoso: "lo sai, macaca, che ci sto proprio bene con te, hai recitato da dio".

«"Ma io non ho recitato, sono piena di lividi, la testa mi si spacca."

«"Non facevo l'amore così da tanto, macaca" e mi baciava, mi baciava. Io, che avevo deciso di andarmene, ho cambiato idea. L'ho perdonato.

«Tre settimane dopo è tornato a casa con due amici. Questa volta invece di lasciarmi sola con loro, mi ha subito aggredita dicendo che li guardavo "in un certo modo". Io non li avevo guardati affatto, ma lui mi ha dato della bugiarda e poi, subito dopo, un ceffone da fare girare la testa. I due amici cercavano di frenarlo, ma era proprio questo che voleva.

«"Me ne vado" ho detto, ma poi, vedendolo così felice, così tenero e affettuoso per giorni e giorni dopo le botte, gli credevo; forse gli passa, non lo farà più... intanto ha smesso di bere, è contento, lavora bene, mi riempie di regali.

«Purtroppo era solo un modo per farmi dimenticare le botte e poi ricominciava. Gli amici li aveva persi. Spesso raccattava gente per strada, qualche volta pure a pagamento per farli assistere alle sue bravate.

«Io sono cattolica, signora commissaria, sono andata dal parroco e gli ho detto, in confessione, di mio marito. Ma lui l'ha presa come uno scherzo. "Ti vuole bene? è fedele? ti fa mancare niente? e allora sopporta, figliola. Gli uomini hanno strane idee per la testa in fatto di sesso, bisogna sopportare..."

«Lui, però, non gli bastava più di farsi vedere davanti agli amici, ora voleva che gli altri godevano del suo godimento e perciò mi "offriva", come uno offre il vino che beve. "Voglio farli godere delle tue bellezze, macaca...; sarebbe come mangiare da solo le cose più buone del mondo, io sento il bisogno, diciamo cristiano, di dividere, spartire il mio pane con gli altri poveri babbei che non sanno cosa sia l'abbondanza, la gioia, la generosità."

«Mi aveva stordito, signora commissaria, non ci capivo più niente, non ero più io, pensavo che forse era vero che mi offriva agli amici per generosità.

«Ormai a casa nostra c'era sempre gente sconosciuta, tanti uomini... "perché non inviti qualche donna, Pippo?" lo pregavo. Ma lui quasi si indignava: sei tu la donna, la sola, la unica... non sopporterei altre persone dell'altro sesso in questa casa...

«Mi offriva ai conoscenti, agli estranei per poi picchiarmi e fare l'amore davanti a tutti.

«La mattina dopo si alzava presto, mi preparava la colazione, me la portava a letto, mi coccolava, mi baciava, mi diceva: sei meravigliosa, macaca, ti amerò sempre...

«Ma quella roba stava diventando troppo amara e non ce la facevo più a mandarla giù. E proprio una sera, nel mezzo di una "festa" ho sentito che non riuscivo più a stargli dietro.

«Ho dato una spinta a uno che non conoscevo, che si

stava strusciando contro di me, mi sono avviata come una sonnambula verso la cucina, ho afferrato il trinciapollo e sono andata da mio marito. Ho preso in mano il suo membro e l'ho tagliato di netto.

«Pippo mi ha guardata incredulo, sorridendo ubriaco ed ha biascicato: "che ti prende, macaca?" poi è svenuto.

«Quando ho visto il sangue che colava, mi sono accorta che avevo ancora il pezzo di carne tagliata in mano e l'ho gettato dalla finestra.

«In pochi attimi gli ospiti sono spariti, alcuni sono scappati, altri sono andati a prendere il pezzo tagliato e dopo averlo chiuso in un sacchetto con del ghiaccio sono corsi all'ospedale portandosi dietro Pippo svenuto.

«Pare che all'ospedale glielo hanno ricucito e adesso sta meglio di prima. Ma io non lo posso vedere. L'avvocato dice che era "legittima difesa", io non so, non so proprio niente, il fatto è che non riesco a dormire, mi mancano gli abbracci di Pippo. Ma se per avere gli abbracci dovevo passare attraverso le botte, allora dovevo amare anche quelle? signora commissaria, crede che mi daranno l'ergastolo?»

«Non credo proprio.»

«Crede che potrò rivederlo? anche di lontano? io ho perdonato tutto a Pippo ma non gli posso perdonare che mi ha fatto volere quei dolori; non riesco più... se penso all'amore lo penso tutt'uno col dolore...

«Io ora vivo come una monaca, e mi va bene, ma quando mi risveglio che faccio, signora commissaria, se ancora, pensando ai suoi calci, piango di gioia?»

«Non pianga per favore... vedrà che le daranno il minimo. Lei tornerà a casa, ritroverà il suo corpo senza voglie cattive. Lo lasci respirare, lo lasci riposare e si fidi di lui, è più saggio di quanto lei pensi.»

«Lo crede davvero?»
«Lo credo.»
«Grazie, commissaria, arrivederci.»
Adele Sòfia la guarda alzarsi dalla sedia e allontanarsi verso la porta. È una donna alta, bionda, con qualcosa di esile nelle spallucce da bambina triste. Eppure il suo sguardo è candido e gentile. "Se la caverà" pensa mettendosi in bocca un pesciolino di liquorizia.

Alicetta

Come dimenticare Alicetta: la sua faccia di ranocchia, le sue larghe risate senza senso, il suo naso camuso, i suoi occhi sporgenti e distanti. Nove anni, due gambe lunghe e veloci, le spallucce strette e scivolate, un collo sparuto e rugoso.

Alicetta è entrata in clinica un lunedì, accompagnata dal nonno. I genitori erano morti tutti e due in un incidente automobilistico. Il fratello, esperto in elaboratori elettronici, era partito per gli Stati Uniti con una borsa di studio. Rimasti soli, la bambina e il nonno avevano vissuto insieme con i soldi della pensione per quasi un anno. Poi lui si era ammalato e non riuscendo più ad accudirla l'aveva portata in clinica. «La testa ce l'ha storta, non parla, ma è intelligente e buona» aveva detto affidandola alla dottoressa Elena Neri.

Lo psichiatra, il dottor Farra, aveva diagnosticato una "schizofrenia patologica abnorme" che solo lui sa cosa significhi.

Alicetta, che è poi il diminutivo di Alice, non riusciva a mangiare da sola, non riusciva a parlare se non ripetendo dieci volte le parole e talmente distorte che nessuno riusciva a comprenderla, salvo il nonno. Però, se le si parlava lentamente e con gentilezza, sembrava capire ogni cosa.

Sono arrivati verso le undici in taxi: lei minuta, coi capelli biondi e riccioluti stretti dietro la nuca, lui in blue-jeans, la pancia sporgente sopra la cintura, una giacca troppo stretta e i grandi occhiali da sole. Lei teneva gli occhi bassi, cincischiava l'orlo del vestito. Lui tratteneva a stento il pianto, e grande e grosso com'era, soffiava come una balena. Prendeva fra le sue le manine della nipote e le baciava teneramente. Lei lo lasciava fare, già rassegnata a quell'abbandono più terribile forse della morte dei genitori.

La vicedirettrice, Elena Neri, detta Ghiacciolo per la sua proverbiale freddezza, l'aveva staccata dalle mani del nonno, con garbata determinazione e l'aveva consegnata a me: «Mirta, portala alla stanza nove. Il nonno non ha i soldi per la singola. La metteremo con la Luigina, fra coetanee si intenderanno».

La prima notte Alicetta l'aveva trascorsa alla finestra. Non aveva voluto né mangiare né mettersi a letto. Solo quando le ho parlato del nonno e di quanto soffiava, così da parere una balena, mi ha dato un bacio appiccicoso sulla guancia e si è lasciata mettere sotto le coperte che era già quasi l'alba.

Il giorno dopo l'ho persa di vista perché avevo tanto da fare. Ma ho saputo che sarebbe stata accudita dal capoinfermiere Bruno Mocci detto Seppia per le occhiaie che gli scendono fino a metà faccia.

Solo nel pomeriggio l'ho raggiunta e ho cercato di parlarle. Ma la bambina, sebbene tenesse aperti gli occhi azzurri, luminosi, guardava altrove. Non si capiva se ascoltasse o no. «Alicetta, mi senti?» Nella sua scheda c'era scritto "Gravi problemi di algolalia". E ancora: "regressione infantile; difficoltà di comunicazione".

Tante volte l'ho imboccata. Se il cibo non le piaceva, lo sputava fuori, ma senza cattiveria, come se quello fosse il solo modo per lei di esprimere i propri gusti. Era difficile nutrirla. Ma qualcosa riuscivo a farle mandare giù a furia di insistere con affetto e pazienza. Per questo, quando era l'ora dei pasti, Ghiacciolo mandava sempre a chiamare me.

Mi ci ero affezionata a quella bambina che in certi momenti sembrava essere tornata ai suoi tre anni, in altri sembrava quasi una vecchietta tanto era savia, scrupolosa, obbediente e rassegnata.

Aveva una intelligenza nascosta e felice che andava scovata con tenacia. La maggior parte della giornata la trascorreva chiusa in se stessa a rimuginare chissà quali pensieri, sorda alle parole altrui.

Solo quando arrivava il nonno, il sabato, con la sua camminata storta, il sacchetto dei dolci, Alicetta sembrava risvegliarsi. Si sedevano tutti e due in giardino, mangiavano le paste e ridevano non si sa bene di che. Ma parevano felici.

Alicetta aveva i capelli biondi, ricci che le scendevano con naturalezza sulle spallucce magre. Seppia glieli pettinava volentieri quando io ero occupata. Ma poi rideva del suo mutismo e la chiamava "la scema".

Anche Sangiorgio, il portantino dalle braccia pelose sempre scoperte, aveva un debole per Alicetta. La prendeva in braccio per portarla ai bagni, le lavava la faccia raccontandole barzellette sporche. «Tanto non capisce» diceva e rideva da solo, allegramente.

Con le altre malate Alicetta si comportava in modo strano: se le parlavano direttamente, voltava loro la schiena. Se le offrivano qualcosa, l'afferrava e la nascondeva sotto il maglione. Poi riponeva tutto dentro il suo armadietto che, infatti, era pieno di cianfrusaglie e di cibi andati a male.

Con Luigina, la sua vicina di letto, non sembrava andare molto d'accordo. Luigina aveva fatto comunella con altre due schizofreniche di una camera in fondo al corridoio e trascorreva le giornate con loro, lasciando sola Alicetta che d'altronde non la degnava di uno sguardo e così vivevano nella stessa stanza come due perfette estranee.

Una mattina Alicetta non ha voluto alzarsi dal letto. Ghiacciolo mi ha mandato a provarle la febbre. Ma non ce l'aveva, sembrava solo stanca. «Che hai? stai male, Alicetta?» Ma lei non mi ha risposto. Si è voltata verso il muro e ha ripreso a dormire.

Anche il giorno dopo dormiva e il giorno dopo, ancora. «Sarà la malattia del sonno» diceva Ghiacciolo «devo parlarne con il dottor Farra.» Ma poi non lo faceva.

Alicetta non rideva più, non sputava più il cibo. Viveva in uno stato di torpore notturno che la imbruttiva e la rendeva estranea a tutti.

Questo stato è durato un bel po'. Il dottor Farra, infine consultato, aveva detto che «le probabilità che uno schizofrenico attivi nel sonno le sue presunte irresponsabilità motorie sono molto probabili se non probatorie».

Ogni tanto andavo a sedermi accanto a lei sul letto e cercavo di forzarla a mandare giù qualcosa. Ma lei scalciava se insistevo. «Guarda, Alicetta, i tuoi capelli sono diventati grigi e unti. Vogliamo lavarli?» Ma lei alzava le spalle e non rispondeva.

Il nonno giusto in quei mesi era stato ricoverato e non veniva più a visitare la sua nipotina. Ho provato a parlarle di lui. L'ho vista aprire gli occhi, dopo tante settimane di inerzia, con un luccichio nello sguardo che sembrava ormai perduto. «Il nonno sta bene, sai, tornerà a vederti presto.» Ma pareva non crederci.

Li rivedo ancora, l'ultima volta che lui era venuto a trovarla, nel giardinetto della clinica, fra i gerani e le rose, seduti sulla panchina bianca di plastica, sotto le fronde di un faggio. Lui le raccontava qualcosa. Lei lo ascoltava rapita. Lui le metteva al centro del palmo un cioccolatino tutto avvolto nell'oro e lei lo scartava lentamente con gesti golosi, infantili. Poi se lo portava alle labbra e mentre lo scioglieva in bocca chiudeva gli occhi, beata. Lui rideva, lei lo baciava sulla guancia. E allora come un prestigiatore abilissimo, lui tirava fuori un altro cioccolatino d'oro dalla manica della giacchina di lana e lei batteva le mani contenta.

Ma allora si muoveva, mangiava sebbene di malavoglia, camminava. Ora invece sembrava entrata in un letargo animale. Il dottor Farra, in una delle sue schede, scriveva di lei come di un "caso di atarassia animale". Ma a me sembrava strano tutto quel sonno. Alicetta non era, dopotutto, un orso o una marmotta. Il dottor Farra scuoteva la testa: «siamo di fronte ad un caso di letargia mentale avanzata e irreversibile. Non mi stupirei che le paralizzasse i centri nervosi».

La sera, dopo che le altre erano andate a letto, l'infermiera Carmen Piras la portava ai bagni. «Ma perché così tardi?» le ho chiesto una volta. «L'ha deciso il capoinfermiere Seppia. Dice che Alicetta fa troppo casino con l'acqua calda e questa è l'ora in cui i bagni sono più liberi.»

Poi Carmen Piras ha preso una bronchite e non ha più portato Alicetta ai bagni, la sera. Qualche volta la portavo io. Altre volte si offriva Seppia aiutato dal suo amico, il portantino Sangiorgio.

Il regolamento dice che il bagno alle malate lo possono fare solo le donne, ma Ghiacciolo non protestava se erano i due uomini ad occuparsi di lei. Il fatto è che non volevano pagare una sostituta di Carmen Piras e io a quell'ora dovevo distribuire i termometri, riportare in cucina i vassoi, preparare i letti per la notte e aiutare quelle che non erano capaci di spogliarsi.

Ormai fare il bagno ad Alicetta era diventato difficile. Si impuntava fuori della porta, non voleva entrare, sbavava, soffiava, graffiava come se la si stesse portando al macello. Allora avrei dovuto sospettare qualcosa, ma non ci ho proprio pensato.

Avevo chiesto consiglio al dottor Farra, questo sì, e lui aveva parlato di «una ripugnanza organica verso l'acqua come sintomo di regressione corporale.» E poi guardandomi con ironia: «il suo gatto cosa fa quando lei lo vuole lavare? graffia, no? e così fa Alicetta».

«Ma non l'ha mai fatto prima. Anzi, si lavava molto volentieri, amava l'acqua. Si portava sempre dietro una ochetta di legno. A proposito non le ho più visto fra le mani quell'ochetta. Dove sarà finita?»

«Invece di pensare alle ochette, badi a fare rigar dritto le malate, qui c'è troppa anarchia, troppo disordine.»

Eppure lui lo sapeva che io lavoravo quindici ore al giorno per una paga da operaio. Deve ringraziare il fatto che ho un figlio a carico, se no me ne sarei andata già da un po' da quella clinica che si pretende di lusso ma lesina persino sui saponi e sulla carta igienica. Quante volte ho trovato la Neri che tagliava a quadretti i giornali e li sistemava nei gabinetti con la scusa che i rotoli "erano finiti".

«Domani comunque le facciamo una flebo. Quella bambina è troppo magra, mi preoccupa.»

«Per forza, non mangia.»

«Da quanto non mangia?»

«Da almeno due mesi.»

«Lei è matta. Perché non me l'ha detto prima?»

«Gliel'ho detto trenta volte. Lei mi ha risposto che il rifiuto del cibo fa parte del naturale processo di regressione.»

«Non mi ripeta le mie parole, le so già. Domani comunque le faremo una flebo.»

Invece l'indomani mattina Alicetta è stata trovata morta nel suo letto. Il dottor Farra ha diagnosticato una morte per "astenia cerebrale acuta, improvvisa e imprevedibile".

Sangiorgio e Seppia hanno voluto fare l'ultimo bagno al cadaverino. Le hanno poi infilato un vestito con le trine al collo, rosa confetto e l'hanno distesa sopra la coperta della clinica, azzurra con le cifre intrecciate del dottor Farra e della dottoressa Elena Neri, lasciandole fuori solo i piedi nudi, bianchi come la carta.

Sono rimasta con lei quella notte, a vegliarla. Sembrava solo addormentata. I capelli erano stati lavati e pettinati con cura: biondi, ricci, morbidi, si ammassavano sul cuscino, incorniciando la faccina smunta e grigia della bambina.

«Alicetta perché sei morta?» canticchiavo per tenermi sveglia mentre il reparto sprofondava nel sonno e i miei occhi si chiudevano da soli. Nel dormiveglia mi è venuta in mente la Ghiacciolo che si lamentava della sparizione delle coperte siglate. «Ne sono già sparite tre. Vorrei sapere chi le ha sottratte» diceva guardandomi fissa. Ma io non so che farmene delle coperte della clinica. Mi sembrerebbe di portare a casa tutti i tormenti di queste donne se solo mi venisse in mente di appropriarmi di una loro coperta.

Il giorno dopo la morte di Alicetta, è arrivato il nonno, dimagrito e imbiancato. Ha posato il bastone sul letto vuoto della nipote e ha preso a inveire contro medici e infermieri. Ha detto che avrebbe fatto una denuncia perché la bambina, quando l'ha portata, stava bene e ora era morta: non si sarebbe accontentato delle spiegazioni incomprensibili del dottor Farra; gli ha pure detto che era un "mistificatore" che giocava con le parole.

Nessuno gli dava retta. Ma lui l'ha fatta davvero, la denuncia. E dopo poche ore sono arrivati gli agenti per dire che non si poteva seppellire Alicetta senza averla prima aperta e guardata dentro.

La commissaria Adele Sòfia ascolta l'esperto che le parla della bambina morta misteriosamente alla clinica del Sacro Cuore del Bambin Gesù.

«Aveva una quantità di sedativi nel sangue da abbattere un bue.»

«Sedativi?»

«Sì, sedativi. Vuole i nomi? sono quelli che si adoperano nei casi di demenza, ma quadruplicati. Comunque, probabilmente, la morte è dovuta a inedia. Totale mancanza di proteine e vitamine per mesi.»

«Eppure la signora Neri mi ha detto che Alicetta Pantaleoni non è stata sottoposta a nessuna cura, salvo quella psichiatrica.»

«Questi sono i risultati dell'autopsia. Veda un po' lei.»

Adele Sòfia guarda il medico legale che si allontana

frettoloso. Aprire il corpo di una bambina, analizzare le sue viscere, deve essere nauseante. Perché bisogna sempre fare parlare i corpi dei morti per sapere della loro fine? perché tagliarli, brutalizzarli chiedendo risposte a domande così facili e nello stesso tempo assolutamente enigmatiche? Il corpo umano è sacro, ma noi abbiamo a che fare con la sua dissacrazione, che è stata resa istituzionale. Qualcosa che le ripugna e l'annoia.

«Eppure morire non è niente. È solo finire di nascere», ripete a fior di labbra. Ma dove l'ha letta questa frase?

Improvvisamente Adele Sòfia si alza dalla sua sedia, prende cappotto e borsa e si fa portare alla clinica Sacro Cuore del Bambin Gesù.

«Come mai davate i sedativi ad Alicetta Pantaleoni?»

«Non mi risulta, signora commissaria» risponde Elena Neri, che alle otto della mattina è già al suo tavolo dal ripiano di cristallo, i capelli perfettamente a posto, le unghie laccate di rosa, la faccia seria e impenetrabile.

«Queste sono le cartelle cliniche. Guardi. La bambina non veniva sottoposta a nessuna cura medica salvo quella psichiatrica.»

«In che cosa consisteva la cura psichiatrica?»

«Be', nelle conversazioni con la psichiatra, la signora Adele Norma.»

«Allora mi faccia parlare con la signora Norma.»

«Veramente è in licenza maternità.»

«Da quanto?»

«Da due mesi.»

«E quando è entrata Alicetta Pantaleoni qui da voi?»

«Non lo so. Ora guardo... sì, è entrata cinque mesi fa.»

«Quindi ha fatto solo tre mesi di colloqui e poi basta.»

«Veramente la psichiatra prima era molto occupata,

quindi credo che abbia visto poco la bambina. Forse una ventina di volte.»

«Sarebbe già qualcosa. Se mi dà l'indirizzo e il numero di telefono, vorrei parlarle.»

«Non mi pare che sia in città.»

«Me lo dia lo stesso.»

«Io glielo do, ma non credo che ne sappia molto... E poi ora, con la minaccia di aborto che l'ha...»

«E non avete preso una sostituta? come veniva curata questa bambina schizofrenica?»

«C'erano ben tre infermieri che si occupavano di lei: Mirta Vallone, Bruno Mocci e Demetrio Perelli.»

«Si trovano in clinica, ora?»

«Sì, credo di sì. Li faccio chiamare?»

«No, vado io a cercarli. Ma prima mi dica: quanto pagava la famiglia di Alicetta Pantaleoni per la clinica?»

«Alicetta ha perduto tutti e due i genitori. A noi l'ha portata il nonno a cui lei era molto affezionata. Il signor Luigi Pantaleoni veniva a trovarla ogni settimana, ma in questi ultimi due mesi non ha potuto perché ha avuto male alla schiena. È per questo che ce l'ha affidata. E noi gli abbiamo fatto pure un prezzo speciale perché non dispone di molto denaro...»

«Quanto?»

«Di solito la retta è di duecentomila lire al giorno. Per Alicetta abbiamo fatto novantamila lire anche perché divideva la stanza con un'altra. So che il nonno ha venduto dei mobili di famiglia per mantenerla qui dentro.»

Adele Sòfia si allontana dalla direzione e si avvia verso le stanze delle degenti. La prima delle infermiere che incontra è Mirta Vallone, una giovane donna dall'aria impaurita, le calze bucate, i modi svagati.

«Lei si occupava della piccola Alicetta Pantaleoni?»

«Sì, quando potevo. Ho venti pazienti da seguire.»

«Le risulta che prendesse sedativi?»

«No. La signora Neri non mi ha dato questo ordine e neanche il dottor Farra.»

«Come si comportava la bambina?»

«Era strana, da ultimo. Quando è arrivata mangiava, si muoveva, rideva, anche se non fiatava... Non sapeva parlare o non voleva parlare, non lo so. Era molto affezionata a suo nonno. Quando veniva a trovarla, voleva che le mettessimo un fiocco rosso fra i capelli.»

«E quando ha cominciato a dormire sempre?»

«Più o meno da due mesi.»

«E non le è mai venuto il sospetto che fosse sotto sedativi?»

«No. Il dottor Farra diceva che era parte di un processo regressivo, di letargia animale.»

«Si ricorda qualche particolare che l'ha colpita?»

«Era golosa di cioccolato. Il nonno gliene portava sempre dei sacchetti. E lei li nascondeva sotto il materasso come se qualcuno potesse rubarglieli, ma qui nessuno ruba niente. Era molto affezionata ad una ochetta di legno. Non faceva il bagno senza tenerla stretta in mano.»

«Chi altri si occupava di lei?»

«Seppia e Sangiorgio.»

«La vicedirettrice mi ha parlato di un certo Demetrio Perelli e di un altro... Bruno Mocci.»

«Sangiorgio e Seppia sono i soprannomi che gli diamo noi. Li chiamano tutti così.»

Per parlare con il capoinfermiere Bruno Mocci, detto Seppia, Adele Sòfia deve scendere nelle cucine. Lo trova mentre mangia un piatto di pasta fredda, seduto vicino alla finestra. L'uomo la guarda con aria umile e sfacciata nello stesso tempo. Sembra pronto a sfidarla. Ma su che?

«Vuole favorire?» dice indicando la pasta al sugo.

«No, grazie. Mi può dire chi dava i sedativi alla bambina Alicetta Pantaleoni?»

«E che ne so. Qua ogni medico decide con la sua testa e non dice niente a nessuno. Sarà stato il dottor Farra oppure la signora Neri.»

«Quindi lei sapeva che le venivano dati dei sedativi.»

L'uomo si morde il labbro come rimproverandosi di avere detto troppo.

«Be', no; l'ha detto lei e io le credo. Non è della polizia, lei?»

«Io ho solo chiesto se qualcuno dava sedativi alla bambina.»

«Lo stesso, ho indovinato i suoi pensieri, le basta?»

«Quando è che lei si prendeva cura della bambina?»

«Solo se mancava la tonta, mi scusi, la infermiera Mirta Vallone. Quando ce n'era bisogno, insomma.»

«L'ha mai vista con la psichiatra, la signora Adele Norma?»

«Quella è incinta, dicono che rischia di perdere il figlio e non ci viene più, qui, da mesi.»

«Da quanti mesi?»

«Cinque o sei, non lo so.»

«Quindi Alicetta non avrebbe mai visto la psichiatra. Lei faceva il bagno alla bambina qualche volta?»

«Sì, quando mancavano tutte e due le infermiere. Ma la tonta ha troppo da fare e l'altra è sempre malata, perciò...»

«Non c'è un regolamento che proibisce agli infermieri maschi di fare il bagno alle malate?»

«E che ne so. Ci sarà. Ma qui nessuno se ne cura. Siamo pochi e c'è troppo lavoro. Quando ti tocca, ti tocca.»

«Mentre le faceva il bagno teneva in mano qualcosa, la bambina Alicetta?»

«No, che doveva tenere? la maniglia della vasca?» E ride, aprendo la bocca piena di pasta che continua a pescare dal piatto con una forchetta di plastica.

L'ultimo ad essere ascoltato è il portantino Demetrio Perelli detto Sangiorgio. Ma anche lui non sa niente, non ha visto niente. Non crede che la bambina fosse sotto sedativi. Non ha visto l'ochetta di cui ha parlato l'infermiera Mirta Vallone.

Adele Sòfia decide di interrogare le malate. Ma il dottor Farra si oppone. Secondo lui le pazienti della sua clinica sono "incapaci di intendere e di volere".

«Il fatto che siano schizofreniche non significa che siano sorde e mute» ribatte battagliera la commissaria e si avvia verso le camere da letto.

I letti sono rifatti con le belle coperte azzurre dalla sigla bene in vista, il lenzuolo a quadretti ripiegato sotto il cuscino, il crocifisso sopra la testiera, l'armadietto con la chiave appesa. Le finestre danno sul giardino fiorito, chiuso da un alto muro di mattoni rossi.

«Chi è che si cura dei fiori?»

«La signora Neri in persona. Ha il pollice verde» risponde il portantino che l'accompagna.

Alcune malate sono vestite di tutto punto e seggono in giardino all'ombra dei faggi, altre sono in vestaglia e si aggirano in pantofole per i corridoi illuminati col neon.

Adele Sòfia legge le cartelle cliniche fitte di una calligrafia minuta e rattrappita, difficile da decifrare. Più che altro sembrano formule di un gergo che non vuole essere compreso da menti estranee.

Una ragazza in vestaglia con i calzini di spessa lana bianca calati sulle caviglie, due trecciolinе che le scendono ai lati della faccia tonda e rossa, la guarda fissamente.

Adele Sòfia si avvicina e gentilmente le rivolge la parola.

«La conosceva Alicetta Pantaleoni?»

«Come no. Era la mia preferita.»

«E perché la preferita?»

«Non si impicciava... e pure qualche volta mi regalava il suo latte.»

«Ha mai visto qualcuno che le dava delle pillole?»

«Pillole? rosa o bianche?»

«Rosa o bianche, non importa. L'ha vista prendere delle pillole?»

«Più che altro le facevano il clistere, così, con la scopa» e scoppia in una risata sgangherata da cui non riesce più a ricomporsi.

«Chi le faceva il clistere?»

«Il qui presente Sangiorgio.»

«È vero che le faceva dei clisteri?»

«Io? ma siamo matti. Provi a guardare dappertutto. Non abbiamo clisteri in questa clinica.»

«Che intende per clistere, Agnese Fragola?»

Ma l'ammalata non ha più voglia di rispondere. Continua a ridere da sola e a fare strane smorfie con la faccia. Non c'è verso di tirarle fuori una parola.

Adele Sòfia si trasferisce in giardino. Ci sono delle vespe che volano turbinando tutt'attorno alle ammalate. Una vecchia mangia semi di zucca seduta al sole e ha le gambe nude macchiate di lividi.

«Come si chiama, lei?»

«Si chiama Teresa Fani. È qui da anni.»

«Signora Teresa Fani, lei la conosceva Alicetta Pantaleoni?»

«Alicetta? no, chi è?»

«Una bambina di nove anni che è entrata qui nella clinica cinque mesi fa.»

«Ah, la bambina con l'ochetta.»

«Sa dove è andata a finire quell'ochetta?»

«Qualcuno l'avrà rubata.»

«Perché avrebbe dovuto rubarla? era un giocattolo privo di valore.»

«Qui ti rubano tutto se non stai attenta. A me sono sparite due automobili e un treno.»

«Due automobili? e che automobili erano?»

«Una Bugatti e una Maserati.»

«Chi può avergliele rubate?»

«So, so ma non lo dico.»

«Le voglio ricordare, Teresa Fani, che qui c'è stata una morta.»

«Morta? e chi?»

«Alicetta Pantaleoni, se la ricorda?»

«Alicetta? è morta? mi dispiace. Era una bambina molto testarda ma buonissima. A me mi regalava sempre i suoi cioccolatini.»

«Lei lo sa perché facesse il bagno alle otto di sera, dopo tutte le altre?»

«Perché Sangiorgio e Seppia la portavano in treno con loro.»

«In treno, e per andare dove?»

«Be', a Viareggio, no? lei voleva andare a Viareggio e loro la portavano.»

«E lei ci è mai stata a Viareggio, signora Fani?»

«Io no. Io sono vecchia.»

«E quanto ci stavano a Viareggio?»

«Alicetta non voleva andare a Viareggio. Voleva il nonno. E loro dicevano: ma ti portiamo noi. E lei: no, maiali, voi non andate a Viareggio ma al mercato del pesce che pure puzza e buonanotte.»

«Ma se Alicetta non parlava, come faceva a dire tutte queste cose?»

«Be', non le diceva con le parole ma con gli occhi, infatti loro ce li chiudevano gli occhi per farla viaggiare senza occhi.»

«Come vede, la paziente sta delirando» interviene il dottor Farra, «mescola la fantasia con quei pochi brandelli di realtà che riesce a mettere insieme.»

«Alle volte è proprio questo il processo complicato e difficile con cui si arriva alla verità. È come interpretare dei sogni. Lei dovrebbe saperne qualcosa.»

«Io so solo che qui mi state mettendo a soqquadro la clinica per un normale caso di morte naturale.»

«Non muore naturalmente una persona che è talmente satura di sedativi da non riuscire più né a mangiare né a bere e finisce per lasciarsi vincere dall'inedia. No, dottor Farra, non è naturale. E lei, come direttore, dovrà rispondere di questa grave negligenza.»

«Sedativi noi non gliene abbiamo dati.»

«Il caso vuole che l'autopsia abbia rivelato una quantità di sedativi nel sangue da "abbattere un bue" come ha detto il medico legale.»

«Questo mi sorprende. Non è che avranno sbagliato? Noi diamo pochissimi sedativi e solo in casi necessari.»

«Ma se la psichiatra è malata, e non ne avete altre, chi cura queste pazienti?»

«Ci sono io.»

«Che però non sta mai a contatto con le malate.»

«Ci sto, ci sto. C'è il dottor Cenci che mi aiuta a fare

gli elettroshock e poi ci sono gli infermieri, le infermiere. Siamo in tanti e siamo tutta una famiglia.»

«Mi saluti la famiglia. Ora devo andare. Ma ritornerò.»

«A sua disposizione, signora commissaria.»

Adele Sòfia lo vede piegarsi in un inchino troppo cerimonioso e rigido perché possa essere, anche in minima parte, sincero.

Il giorno stesso viene fatta una perquisizione nelle case sia dell'infermiere Bruno Mocci detto Seppia che del portantino Demetrio Perelli detto Sangiorgio. In casa del primo viene trovata l'ochetta di legno di cui ha parlato l'infermiera Mirta Vallone e che era sparita misteriosamente da qualche settimana. In casa del secondo vengono trovate tre coperte della clinica con ricamata la sigla FN, Farra, Neri e un paio di mutandine di Alicetta macchiate di sangue.

La commissaria dispone il fermo per entrambi. I quali, come succede spesso, si accusano a vicenda, sperando che nell'impossibilità di scoprire la verità, li lascino liberi.

Ma tutte le malate concordano nel dire che li vedevano sempre insieme e mai avevano assistito ad una andata ai bagni di Alicetta da sola o con uno solo dei due uomini.

In una ulteriore perquisizione sono state trovate cinque confezioni di Roipnol, aperte e mezze consumate nella casa di Bruno Mocci.

«Come mai in casa sua si trovano queste confezioni di un fortissimo sedativo quale il Roipnol?»

«Lo davo a mia moglie che non riesce a dormire la notte.»

La moglie, interrogata, nega di avere mai preso una pillola di Roipnol. E si capisce che dice la verità perché è una persona particolarmente sveglia, energica e poco portata ai sogni.

«Perché secondo lei suo marito teneva in casa tutto questo sedativo?»

«Per i malati, non certo per noi che siamo tutti più che svegli. Mia figlia fa la maestra elementare e se dormisse l'avrebbero già cacciata dal lavoro. Io, lo vede, ho tanto di quel da fare che a stento riesco a dormire tre ore a notte.»

«Se fosse stato per i malati, l'avrebbe tenuto lì dove lavora: in clinica, no? come mai se lo portava a casa?»

«Non lo so, signora commissaria; quello, mio marito, è un mistero anche per me. Io non lo vedo mai, quando lo vedo non lo riconosco. Prima era allegro, parlava, mangiava, gli piaceva cucinare. Ora se ne sta chiuso in gabinetto a leggere roba pornografica. Quando esce manco mi dice "ciao". Sua figlia lo chiama "lo straniero". Io proprio non so perché tenesse quelle pillole. Forse per sé.»

«In ospedale mi dicono che lavorava le regolari otto ore al giorno e spesso faceva pure gli straordinari. Col Roipnol non si fanno gli straordinari.»

«Me lo dica lei, signora commissaria, perché teneva quei sedativi?»

«Questo lo scopriremo. Grazie della sua collaborazione.»

«Lei sa perché il suo amico Bruno Mocci teneva tutto quel sedativo in casa sua?»

«Non lo so. Ma se Alicetta, come dite voi, era piena di sedativi, da qualche parte dovevano venire.»

«Lei dunque pensa che sia stato lui. E perché le avrebbe dato tutti quei sedativi?»

«Per fare i comodi suoi, no? a lui piacciono le bambine. Mute e sorde, poi, è l'ideale.»

«E lei, che era sempre col suo amico, vedeva questi abusi e taceva?»

«Io che ne sapevo? Io lo aiutavo qualche volta a portare la bambina ai bagni ma poi lo lasciavo solo ad arrangiarsi. Avevo altro da fare.»

«E non si chiedeva cosa ci facesse il suo amico, Bruno Mocci, con la bambina mezzo addormentata dentro quei bagni nell'ora in cui le altre pazienti dormivano?»

«Non era affar mio. Io a quell'ora devo ripulire tutti i carrelli delle medicine, portare giù i vassoi, preparare le medicine per la notte, spegnere i televisori, sistemare gli asciugamani per la mattina e qualche volta pure pulire le pentole della cena, figuriamoci se avevo tempo da perdere con una bambina catatonica.»

«Il suo amico Demetrio Perelli dice che lei era solo a fare il bagno alla piccola Alicetta.»

«È matto? ma se succedeva proprio il contrario! io lo accompagnavo fino alle porte e poi lo lasciavo lì ai bagni. Dovevo tornare di là. Provi a chiedere alla caposala del reparto neurodeliri. Tutte le schede delle malate le rimettevo a posto io, la sera, e a volte lavoravo al computer fino alle due.»

«In casa sua è stato trovato il sedativo. In grandi quantità. Che ne faceva?»

«Medici e infermieri vengono continuamente contattati da case farmaceutiche perché provino un prodotto. Lo regalano, te lo buttano in faccia. Se lo prendi, ti danno anche dei soldi sottobanco. Sperano sempre che i medicinali li fai adottare nel tuo reparto.»

«Quindi nega di avere costretto la piccola Alicetta, a più riprese, a prendere grosse dosi di sedativo?»

«Nego certo, perché avrei dovuto farlo?»

«Il suo amico Perelli dice che lei voleva abusare della bambina e la intossicava perché fosse cera molle fra le sue mani.»

«Ma io ho moglie e figli, signora commissaria, come può pensare una cosa simile?»

«Allora mi spieghi la presenza di questo sedativo.»

«Gliel'ho detto, è un regalo della casa farmaceutica.»

«Ma le confezioni sono dissigillate e da ogni confezione mancano parecchie pillole.»

«Le prendevo io per stare calmo, perché mi succede di perdere la calma, come farò fra poco se continuate a trattarmi come un fottuto pedofilo.»

«Non come pedofilo, signor Perelli, ma come omicida.»

«È stato Seppia. L'ho visto. Non ce l'aveva lui l'ochetta di quella deficiente? gliel'ha strappata di mano perché gli aveva quasi cavato un occhio.»

«Con una ochetta di legno?»

«Se cacciata dentro un occhio con forza, anche il legno può fare male.»

«Quindi si tratterebbe di legittima difesa.»

«Be', quella non voleva fare il bagno, per nessuna ragione.»

«Quindi ammette di essere stato presente?»

«No, io non c'entro. Ha fatto tutto lui.»

«Seppia e Sangiorgio, io credo che abbiate agito insieme. Ma ora deciderà la magistratura. Sono costretta a portarvi tutti e due al commissariato.»

Come dimenticare Alicetta, il suo sonno profondo, il suo corpo rannicchiato, i suoi capelli biondi e unti e così stanchi, così stanchi che avevano cambiato colore.

Ho rivisto il nonno di Alicetta. Al cimitero. Piangeva appoggiato al suo bastone. Io ero l'unica, della clinica, presente. Il dottor Farra, che è stato indiziato per concorso in omicidio, è rimasto in clinica, murato. Ha chiuso porte e finestre e non vuole vedere nessuno. Io sono stata licenziata, perché dice che ho fatto "la spia alla polizia". Ma se sono l'unica lì dentro a non avere saputo niente! Un po' tonta sono, lo confesso, in fondo capisco perché mi chiamano così. Mi sembrava strano che un infermiere e un portantino facessero il bagno ad una malata, e poi a quell'ora. Ma poiché né il dottor Farra né la dottoressa Neri hanno mai detto niente, non ho fiatato nemmeno io. E invece avrei dovuto subito protestare. Ma quanti non lo fanno per paura di perdere il posto. Siamo vili questo è proprio vero, come dice la commissaria Adele Sòfia: ognuno per sé e male per tutti.

Il nonno di Alicetta mi ha telefonato e mi ha chiesto di parlargli un poco della nipotina. «Che cosa le diceva?» «Come giocava quando era sola?» «Cosa mangiava?» «Quanto dormiva?» «Quando ha cominciato a non mangiare più?» eccetera. Credo che si senta responsabile per avere lasciato la bambina sola per due mesi. Ma non è colpa sua, era malato, a letto.

«Non me lo perdonerò mai, cara Mirta, è come se l'avessi uccisa io.»

«Ma non si dia pena. Allora cosa dovrei dire io che ero lì e non ho capito nulla. Avrei potuto avvertirla. Ma ero sorda e cieca. Forse per paura di perdere il posto? Tutti erano sordi e ciechi. Nessuno poteva immaginare cosa stessero combinando quei due. Io non sono sospettosa, non mi piace pensare male, ma questa volta ho sbagliato di grosso...»

«Nessuno che abbia parlato. Bastava una parola, Mirta, una sola parola e Alicetta sarebbe ancora viva.»

«Lei mi fa piangere, signor Pantaleoni, come facciamo a rimediare?»

«Non c'è rimedio, non c'è rimedio. Possiamo solo pregare per lei.»

Un anno dopo nel mese di maggio sul *Messaggero* di Roma esce un trafiletto: Luigi Pantaleoni e Mirta Vallone, oggi sposi.

Intanto, dopo la prima condanna a diciotto anni di carcere per violenza carnale e omicidio, l'infermiere Bruno Mocci e il portantino Demetrio Perelli sono stati prosciolti in seconda istanza per mancanza di prove. Ora l'uno è tornato a fare il portantino, assunto da un'altra clinica privata, e l'infermiere si è messo a fare l'autista di taxi.

Muri di notte

Una voce di donna nella notte. Parla con voce soffice, piana, intervallata da punte di acredine e sorpresa. Il tono in quei momenti si fa acuto, quasi infantile.

La commissaria Adele Sòfia la ascolta, attenta e meditabonda. Tiene gli occhi fissi su quel corpo di donna dalle ampie ferite. È piccola, ha gli occhi azzurri e i capelli neri. È robusta e delicata nello stesso tempo. Le bende sul collo e sul braccio sono visibili sotto la camicetta nera.

«Ero al buio. Dormivo. Ho sentito uno scossone al letto come se qualcuno ci sbattesse contro un ginocchio. Mi sono svegliata e ho visto un'ombra che mi stava addosso. Mi colpiva rabbiosamente, sulla spalla, sul collo. Lì per lì non ho capito che era un coltello, signora commissaria, mi sembrava che mi stesse strappando la carne viva dal braccio sinistro, a morsi. Istintivamente ho allungato il destro, ancora sano, verso il comodino. Ho afferrato il pesante lume di ferro e ho colpito quella che mi sembrava essere la testa dell'aggressore. Ho sentito un rumore sordo, uno scricchiolio profondo e poi più niente, silenzio.»

«Quando ha capito chi era?»

«Sono andata barcollando verso la porta. Ho spinto l'interruttore. Ho visto l'uomo disteso sul pavimento. In un primo momento non l'ho riconosciuto. Solo dopo, guardandolo meglio, ho capito che era Adriano, mio marito, signora commissaria.»

«Secondo lei perché aveva tentato di ucciderla?»

«Non lo so, non lo capisco.»

Delle lagrime scendono dagli occhi della donna piccola e robusta. La commissaria aspetta che riprenda a parlare.

«Vuole un bicchiere d'acqua?»

«Pensavo ad un ladro, uno di fuori. E invece era lui: Adriano, col coltello da cucina, mentre dormivo... Non c'era sangue accanto alla sua testa per terra, non c'era niente che facesse pensare alla morte. Sarà svenuto, ora riprenderà a respirare e che gli dico? faccio finta di niente? Aveva la bocca aperta. Avrei voluto chiudergliela ma non riuscivo ad avvicinarmi. Gli guardavo il mento: si stava facendo crescere il pizzo. Era così strano quel pizzo grigio. Non gli stava bene, gli faceva una faccia furba e triste. Ora ricomincia a respirare, ora ricomincia a respirare... Ma non ricominciava e intanto non sapevo che fare. Poi ho visto quel rivolo di sangue che stava inzuppando la coperta del letto e mi sono portata una mano al collo. Allora ho sentito il dolore e mi ha preso una paura terribile.»

«Suo marito insegnava all'università. E lei, lavora?»

«Lavoro, anzi lavoravo per lui. Cominciavano la mattina a chiamarlo gli studenti, i colleghi, gli editori, gli organizzatori di seminari e di convegni in giro per il mondo. Ero io l'addetta al telefono; prendevo i nomi, gli appuntamenti, smistavo le persone secondo quello che mi ordinava mio marito la mattina, prima di uscire.»

Le lagrime continuano a scivolare giù per le guance, ma il suo ricordo non ne è disturbato. Le parole escono dalle labbra della giovane donna con ordine logico.

«Un uomo gentile con tutti, allegro, soprattutto in compagnia. Aveva un solo cruccio: essere nato con i piedi piccoli pur essendo di altezza normale. "Ha delle scarpe da uomo numero trentasette?" chiedeva al commesso e ogni volta assistevamo alla sorpresa di questo che diceva: "scusi ma il trentasette è un numero da donna. Forse dovrebbe rivolgersi ad un negozio per bambini".

«In effetti spesso doveva ripiegare su scarpe per adolescenti. "Adolescente dai capelli grigi" aveva scritto una volta di lui un giornalista. E Adriano aveva ritagliato il pezzo e se l'era incollato sul muro accanto al letto. Gli piaceva considerarsi un ragazzo sportivo, appena un poco invecchiato.

«Io avevo lasciato mia madre, le mie sorelle in Belgio per seguirlo in Italia. Ma lui aveva altri legami: Giulia, la prima moglie a cui continuava ad affidare gli incarichi più delicati; la figlia Albertina che studia medicina a Stanford, in California e lo chiamava al telefono tutti i giorni; la madre, donna Melodia, a cui si rivolgeva quando aveva bisogno di suggerimenti psicologici.

«Un uomo sempre padrone di sé. In dieci anni di matrimonio non l'ho mai visto infuriarsi. Con voce calma, serena, diceva "non c'è niente di cui non si possa ragionare". Qualche volta aveva preso anche delle botte per questa sua smania di stabilire coll'avversario un dialogo impossibile.

«Come quella volta che, per distrazione, aveva tagliato la strada ad uno e questo era sceso dalla macchina rabbioso e aggressivo, pronto a colpirlo. Adriano gli si era avvicinato sorridendo, con la mano tesa: "ragioniamo, caro amico" aveva cominciato conciliante, ma l'altro non lo aveva fatto finire e gli aveva tirato un pugno poderoso che lo aveva scaraventato per terra. Ma pure da terra, con le ossa ammaccate, aveva continuato, "caro amico, a cosa servono i pugni, bisogna ragionare...". Amava cucinare. La sua specialità era il tacchino alla birra e la pasta alla "carcerata" con acciughe, rughetta e olive nere.

«Diceva: "stasera cucino io". Si legava intorno alla vita il mio grembiule a fiori lilla e cominciava a tirare giù le pentole dai ganci. Dopo un'ora portava in tavola il piatto di spaghetti e chiedeva: "come vi pare?". Serviva prima gli amici e poi se stesso e poi me. Mangiava con gusto accompagnando il piatto con qualche bicchiere di vino rosso, il suo preferito. Soprattutto gli piacevano i vini delle langhe piemontesi: il Dolcetto, il Grignolino che considerava "vini regali". Gli altri per lui erano "piscetti".

«Gli piaceva cucinare soprattutto per gli amici. Invitava spesso i suoi colleghi, Amaranto e Rosadei con le loro mogli, qualche volta il rettore dell'università, il professor Ciccoli e spesso la sua prima moglie, Giulia, con l'attuale compagno: un pianista di poca fortuna.

«Con questi amici, soprattutto con Giulia e il pianista di poca fortuna andava a fare "roccia". Partivano la mattina presto e scalavano pareti di quinto, sesto grado dalle parti del monte Rosa e della Valtournenche. Aveva una collezione di scarponi da montagna che teneva allineati nel guardaroba. Erano fatti su misura perché non trovava mai quelli adatti per il piede piccolo e delicato.

«Ci eravamo conosciuti all'università. Io stavo salendo le scale della facoltà, lui stava scendendo, avvolto in un impermeabile bianco, con un pacco di libri sotto il braccio. Ci siamo urtati. I libri sono caduti per terra sparpagliandosi per le scale. Io mi sono precipitata a raccoglierli chiedendogli scusa. "Sono io che mi scuso, la colpa è mia" ha detto.

«La sera stessa siamo usciti insieme a cena. Mi ha parlato della sua buffa famiglia. I suoi fratelli maggiori: Platone, Heidegger, Husserl, Schopenhauer; suo padre Hegel, suo nonno Gesù Cristo. Così diceva.

«Mi è subito piaciuta la sua voce densa, sensuale; il suo modo di ridere senza fare vedere i denti che erano guasti, con le labbra appena arricciate.

«Era amato dagli studenti perché dedicava loro molto del suo tempo prezioso, con generosità e senza risparmio. Li conosceva per nome, passava delle mezz'ore con loro al telefono discutendo dei massimi sistemi.

«Era capace di far lezione in un caffè, davanti ad un cappuccino con la panna. O di portarseli tutti ad una mostra per esporre la sua teoria sulla complementarità delle arti che "si tengono per mano come degli origami". "L'uomo è sublime solo quando sogna il reale o lo inventa. Eppure si ostina a vedersi come un piccolo *Homo faber* laborioso e combattivo" diceva, "mentre è solo capace di provocare guerre e distruzioni. Meglio modellare sogni e farsene modellare."

«Con me era gentile, affettuoso. Molto distratto. Si dimenticava quello che mi stava dicendo mentre parlava e annaspava cercando la parola giusta. Ma poi si seccava e lasciava lì a metà il discorso.

«Una sera trascurava di avvertirmi che non sarebbe tornato a cena mentre una mattina si scordava di avvisarmi che avrebbe portato con sé a pranzo quattro studenti. Dimenticava i libri che stava leggendo in giro per casa, aperti, con le pagine segnate. Tralasciava l'appuntamento con un giornalista e mi toccava sbrogliarmela con bugie che lui stesso mi suggeriva al telefono.

«Qualche volta le tesi di laurea le dava da leggere a me "io non ce la faccio, vedi tu, poi mi racconti". Mi mettevo lì a leggere con scrupolo ogni parola, segnando su un quadernino le impressioni che ne avevo avuto.

«Ma poi lui non ne teneva conto. Preferiva darci uno sguardo di persona. Gli bastava leggere una pagina per decidere se fosse buona o cattiva. E di solito ci azzeccava. "D'altronde l'ho capito dalle scarpe che porta. Una con quei sandali d'oro non potrà mai scrivere niente di buono. Quanto avrà di piede? quaranta? che piede di donna è?"

«Era duro con i suoi studenti. Ma quando qualcuno mostrava del talento se ne rallegrava e cercava di aiutarlo in tutti i modi.

«"Vengo con l'Evelise a pranzo, ha scritto un pezzo su Hegel che andrebbe pubblicato. Una bella testa quella ragazza, porta anche le scarpe giuste."

«Trovava ridicoli, signora commissaria, i tacchi troppo alti, le stringhe, i laccetti, le fibbie dorate. "Sono antifilosofiche" diceva ridendo. E ripeteva che i Cinici andavano scalzi. "Dione Crisostomo portava giusto un pezzo di tela addosso per proteggersi dal sole e niente altro."

«Era conosciuto per la sua correttezza con le allieve, signora commissaria. "Non mescoliamo l'attrazione sessuale con il fascino della didattica" diceva. E difatti le studentesse lo trattavano con molta familiarità sapendo di non dovere temere assalti improvvisi o ricatti sessuali, come capita con altri professori.

«Nei riguardi dei ragazzi era particolarmente severo, perché sosteneva che "la testa di un uomo è più portata alla speculazione. Deve sapersi regolare pensando all'universo. Chi riuscirebbe invece a regolare la testa di una donna?".

«Ma questo non gli impediva, signora commissaria,

quando gli capitava fra le mani uno scritto intelligente di una studentessa, di prenderlo sul serio e di parlarne in termini entusiastici.

«Del nostro matrimonio diceva che era "perfetto". Il che voleva dire che ciascuno faceva la sua parte senza tirarsi indietro. Lui si dedicava alla sua professione con generosità e passione. Io mi dedicavo a lui con generosità e passione. Questo era il mio compito. Che lui non mi ha mai imposto, signora commissaria, sia chiaro, ma non avrei potuto sottrarmi senza mettere in discussione la nostra unione.

«"Siamo felici noi due, Carmela", diceva qualche volta la mattina mentre facevamo colazione sul terrazzino di casa. "Stiamo consumando la nostra porzione di legittima felicità. Abbiamo ancora tempo. Abbiamo le mani adatte, gli occhi acuti. Niente deve turbare, Carmela, questa perfezione domestica," diceva proprio così.

«Poi usciva dopo essersi lavati i denti col dentifricio all'argilla. Prendeva la bicicletta – "per non inquinare con lo scappamento dell'auto" – e se ne andava in facoltà lasciandomi alle prese con il telefono, con il fax che vomitava in continuazione fogli su fogli di richieste, inviti, lettere, eccetera.

«Prima mettevo in ordine la casa e poi mi sedevo nello studio a preparargli il tavolo per il pomeriggio. Così avrebbe trovato le lettere aperte e sistemate secondo l'argomento; i fax con le risposte da firmare, nonché l'elenco delle telefonate con le segnalazioni di quelle urgenti.

«Tornava a casa affamato, chiedendo: "è pronto, Carmela?". Gli piaceva come cucinavo. Le mie melanzane alla parmigiana e il mio spumone al cioccolato erano le cose che preferiva e me le chiedeva spesso. Agli amici diceva: “venite a mangiare lo spumone al cioccolato e panna di mia moglie, vi riconcilierete col mondo”.

«D’estate andavamo in Grecia, nell’isola di Salamina, di fronte a Megara, dove teneva scuola Euclide confutato nel *Sofista* da Platone, suo fratello di latte. Ci andavamo con Giulia e il non fortunato pianista.

«Gli piaceva pescare i cefali nelle acque basse di Egina. Poi, la sera, li cucinavamo sulla brace. Sapevano un poco di fango, ma erano teneri e profumati di mare.»

«E lei non si è mai accorta che quest’uomo gentile, affabile, distratto, innamorato, avesse qualche ostilità nascosta, qualche momento d’odio?»

Adele Sòfia guarda la giovane donna che adesso piange in silenzio torcendosi le mani. Sembra che la voce non riesca a sortirle dalla gola contratta dai singhiozzi.

Ma perché tormentarla? Le ferite testimoniano la verità di quello che racconta. Ora spetterà all’autopsia sul professore confermare o no la meccanica dei fatti.

Adele Sòfia fa per alzarsi e congedarla, ma la donna rimane seduta. Ha tirato fuori dalla tasca un fazzoletto a quadretti rosa e bianchi e si sta asciugando gli occhi.

«Volevo dirle che qualche mattina dopo la sua morte, mentre mettevo a posto le sue carte, ho trovato un libricino di pensieri di Bernanos tutto segnato e con scritte ai margini delle pagine. E ho ricopiato le sue parole.»

La giovane donna porge alla commissaria il libricino bianco con un ritratto a penna di Bernanos sulla copertina. E Adele Sòfia legge: «le menzogne sulle quali ci gettiamo come sopra un muro non ci oppongono nulla di concreto, non sono che muri di notte. Sono la parte di niente, la parte di tenebre che l’amore non ha ancora potuto restituire alla luce».

«Ma questo non dice nulla sul perché del delitto, signora Verbano...»

«Aspetti, continui a leggere.»

Adele Sòfia riprende a seguire le scritture ai margini della pagina e legge: «amo mia moglie come me stesso. Il guaio è che non amo me stesso. Sono un piccolo impostore davanti a Dio».

«E lei pensa che questo spieghi qualcosa?»

«Non lo so. Non potrebbe avere tentato di uccidermi per troppo amore?»

«Potrebbe essere. Ma che amore è quello che vuole il ferimento e la morte dell'altro?»

«Non dice che odiava se stesso? e io ero con lui, per lui, di lui, perciò...»

«Parole, signora Verbano, parole. Suo marito ha tentato di ucciderla con un coltello da cucina. Per poco non ci è riuscito. Se lei non avesse avuto la presenza di spirito di afferrare il lume e di colpirlo alla testa non sarebbe qui a parlare con me.»

«Questo è un modo brutale di vedere le cose.»

«Mi devo attenere alla meccanica degli avvenimenti. La psicologia segue, non precede.»

«Io lo amavo e mi fidavo ciecamente di lui, signora commissaria...»

«Se fosse vivo si fiderebbe ancora?»

«Credo di sì. L'errore forse è stato non lasciargli un minimo di spazio. Non c'entrava neanche uno spillo fra il suo corpo e il mio, fra la sua giornata e la mia, fra il suo cuore e il mio. E lui ci ha voluto fare entrare l'eternità.»

«Perché non cambia casa?»

«Sarebbe troppo doloroso. E poi, devo occuparmi delle sue carte, c'è tanta roba da catalogare, da mettere a posto. L'editore aspetta di pubblicare due volumi di inediti. Come potrei andarmene?»

«Questa cieca dedizione non le giova. D'altronde suo marito le ha dimostrato che non la gradiva. Anzi, forse la aborriva.»

«Si sbaglia. Mio marito era contento e lo è ancora. Mi viene a trovare spesso la notte. Si siede sul letto e mi dice le cose da fare. Ha la voce di sempre. Solo un poco più roca e notturna. Quando arriva l'alba, si alza, si aggiusta la piega dei pantaloni e se ne va.»

«Vuole diventare un fantasma anche lei?»

«Lo sono già, signora commissaria, ma non mi dispiace.»

In quel momento si sente un trillo che proviene dalla borsa appesa allo schienale della sedia.

Adele Sòfia segue sorpresa i gesti pacati e morbidi della giovane donna che estrae dal sacco un cellulare piccolo e nero, se lo porta all'orecchio e con voce appena velata di pianto risponde: «pronto? ah sì, professore... no, certo che non ho dimenticato, devo solo correggere le bozze, lo farò al più presto. Le consegnerò tutto entro la fine della settimana. Ci può contare. Arrivederci».

Ha undici anni, si chiama Tano

15 GIUGNO 1995. ORE 10

Ha undici anni, si chiama Tano. Ha appena denunciato il padre per violenza carnale. Se ne sta impettito sulla punta della sedia, nella saletta grigia del commissariato e cerca di nascondere con la mano una macchia di unto che affiora sul ginocchio sinistro del pantalone.

L'ispettore Marra lo guarda con un misto di apprensione e di incredulità.

«E la mamma che dice?»

«Niente, che deve dire?»

«E i fratelli?»

«Clementina ci è già passata. È da quando aveva cinque anni che abbozza. Rosario è andato via di casa per questo. Ma lavora un giorno sì e uno no perciò spesso torna a casa. La mamma dice che è un cretino.»

«E da quando tuo padre ti violenterebbe?»

«Da quando avevo sette anni.»

«E perché non l'hai detto prima?»

«Avevo paura. Diceva che mi ammazzava.»

«E ora non te le fa più le minacce?»

«Me le fa, ma io sono più grande, ho meno paura.»

«Manderò a chiamare tuo padre. Vai tranquillo.»

«No, se voi dite a mio padre che l'ho denunciato, mi ammazza davvero.»

«Non glielo dico. Parlerò di una denuncia anonima, ti puoi fidare.»

L'ispettore osserva il ragazzino che si alza rapido, si guarda intorno sospettoso, e poi sparisce dietro la porta camminando in punta di piedi come fosse in chiesa.

Marra pensa al maggiore dei suoi figlioli più o meno della stessa età, che da un po' di tempo gli si sta rivoltando contro. Risponde male, o non risponde affatto quando gli chiede qualcosa, si chiude in bagno per ore a leggere giornalini pornografici e se lo incontra nel corridoio volta la testa dall'altra parte. A scuola va malissimo. Il sabato sera non c'è modo di tenerlo: se ne va in discoteca con gli amici e non torna prima di giorno. E ha appena quattordici anni. Con un tale stato d'animo sarebbe perfino capace di andare a denunciarlo, non importa di cosa, pur di dargli fastidio.

Ha l'impressione che questo Tano sia molto simile a suo figlio. Ma comunque, per scrupolo, manderà a chiamare il padre, Luigi Bacalone. Nessuno potrà dire che non abbia fatto il suo dovere.

16 GIUGNO 1995. ORE 9

«Bacalone Luigi, qui è arrivata una denuncia anonima per violenza su minori.»

«Ispettore, mi meraviglio: da quando in qua si prende in considerazione una denuncia anonima. Ma scherziamo! chiunque, per un'antipatia, è capace di fare una denuncia anonima. Roba da buttare nel cesso.»

«Lei quanti figli ha, Bacalone?»

«Cinque: Rosario di diciotto anni, Clementina di quindici, Tano di undici, Mario e Michelina gemelli, di sette. Sono dei bravi ragazzi. Un poco fantasiosi. Pensi che l'altro giorno li ho scoperti in cortile che giocavano al dottore. Avevano tolto le mutande alla sorellina piccola e quasi quasi se la ingroppavano. Ho dovuto fare la voce grossa.»

«Quindi lei nega di avere abusato dei suoi figli?»

«Io li picchio qualche volta, a essere sinceri, signor ispettore Marra. Ma di fronte ad una scena come quella, che stavano per sverginare la sorella, lei che avrebbe fatto?»

«Qualcuno dice che lei, oltre a picchiarli, mette loro le mani addosso.»

«Ma siamo pazzi? e con quali prove? qui ogni gallo che si sveglia fa il suo chicchirichì. Vuoi vedere che ci sono i pentiti pure fra i vicini. Mandi a chiamare mia moglie, mandi a chiamare i miei figli. Parli con loro. Provi, vedrà che le dicono. Non è degno di voi andare a pescare in questa immondizia di pettegolezzi da condominio.»

«Vada pure, Bacalone. Ma stia in guardia perché la sorvegliamo.»

Un bell'uomo giovanile nei suoi quarantaquattro anni, pensa l'ispettore Marra, uno che fa il suo mestiere, che deve combattere con dei figli indisciplinati. Ma chi osa più dire niente ai figli, oggi? suo padre, quando era piccolo, gli dava delle manate sulla bocca che lo lasciavano gonfio e lagrimante. Eppure lui era un bambino obbediente. Non avrebbe mai osato rispondere a suo padre "che cazzo vuoi da me" come ha fatto l'altro giorno suo figlio Mario.

ORE 10,30

«Commissaria Sòfia, qui c'è la denuncia di un bambino di undici anni contro suo padre. L'ho mandato a chiamare, Bacalone Luigi, di anni quarantaquattro. È un tipo a posto, ben vestito, si esprime bene. Sembra sincero. Dice che i figli giocavano al dottore e lui li ha picchiati. Forse per questo il figlio Tano l'ha denunciato.»

«Mandi a chiamare la madre. Vediamo che dice. Si ricordi che l'ottanta per cento degli abusi sessuali avvengono in famiglia.»

«Il bambino Tano Bacalone sostiene che anche i suoi fratelli sono stati violentati dal padre.»

«Bisogna fare richiesta al Tribunale dei minori perché mandino un'assistente sociale. La Pertini c'è?»

«La Pertini è in maternità.»

«Allora chiediamo la Montagna.»

«Non è troppo giovane per un lavoro come questo?»

«Non ce ne sono altre a disposizione. Comunque sarà meglio che niente. E poi, magari, una giovane si guadagna meglio la fiducia dei bambini.»

18 GIUGNO 1995. ORE 9,30

«Nome e cognome.»

«Bacalone Giuseppina.»

«Il nome da signorina.»

«Tognetto Giuseppa.»

«Dov'è nata?»

«A Villa di Teolo.»

«E dove si trova Villa di Teolo?»

«In Veneto. Mio padre è morto, si chiamava Tognetto Gianni. Mia madre, Zaira Pezzego.»

«Data di nascita.»

«Sono nata a Villa di Teolo.»

«Questo l'ha già detto.»

«L'anno, vuole sapere? sì, sono nata il 5 dicembre 1960, a Villa di Teolo da mio padre Tognetto Gianni che ora è morto, e...»

«Basta, ho capito. Qui è arrivata una denuncia per violenza carnale.»

«E che sarebbe? scusi.»

«Atti osceni in famiglia.»

«Atti osceni? come sarebbe? in quale famiglia?»

«Suo marito si chiama Luigi Bacalone, di anni quarantaquattro?»

«Sì, ma che c'entra?»

«C'entra, perché è lui che viene denunciato per violenza carnale sui figli. I figli anche suoi, signora. Lei ne sa niente?»

«Violenza carnale sui figli, Gesù benedetto, ma la xe una pazzia, una pazzia.»

«Come si comporta suo marito coi figli, dica la verità, li picchia?»

«Quando ci vuole solamente, ma lui è affettuoso, ci vuole bene ai so' fioi, è un buon padre, glielo dico io, un padre buonissimo.»

«Le risulta che recentemente abbia picchiato il figlio Tano per un fatto che è accaduto nel cortile di casa?»

«Quale fatto?»

«I ragazzi stavano forse facendo del male alla sorellina Michelina?»

«Alla sorellina? non credo proprio. Non stanno mai insieme i miei fioi. Rosario se n'è andato e non so neanche dove vive. Clementina ha i suoi amici e passa più tempo fuori che in casa. Tano se ne sta eternamente chiuso in camera a studiare, quello ha la mania di leggere, el xe un vero dotor, si guasterà presto gli occhi e Mario chi lo vede mai? sempre in giro con gli amichetti. Michelina invece sta sempre con me, la xe una capreta.»

«Quindi non le risulta che suo marito abbia picchiato i figli perché volevano fare del male alla sorellina, qualche giorno fa?»

«Mio marito non è capace de fargli male a nessuno. Se gli dà uno scappellotto, che vuole che sia? una volta sola che Mario mi ha dato della puttana ghe le ha da' un poco più forte, ma poi mai.»

«E perché suo figlio Mario, che se non sbaglio ha solo sette anni, le ha dato della puttana?»

«Perché 'l xe uno zotico.»

«E lei, signora, li picchia mai i suoi figlioli?»

«E come podarìa, sono più robusti di me.»

L'ispettore alza gli occhi dal foglio. In effetti la donna che ha di fronte non sembra avere la forza di malmenare nemmeno un gatto: è piccola, magrissima ed esangue. Come avrà fatto a generare cinque figli, di cui due gemelli, proprio non si capisce.

«La gente la xe cativa, signor ispettore e fa cativi pensieri. Mio marito è buono, siamo sposati da più di diciotto anni e a parte la question dei schèi, perché a lui piace spendere, l'è sempre stato un buon padre e un buon marìo.»

«Bene. Vada, signora. Ma stia un poco più vicina ai suoi figli, non li lasci soli in giro dalla mattina alla sera.»

«Sissignore, grazie.»

L'ispettore Marra la guarda alzarsi dalla sedia. In piedi sembra ancora più minuta e fragile. Ha solo una cosa straordinaria, gli occhi: limpidi e chiari, luminosi, infantili. La faccia è segnata e indolenzita.

8 LUGLIO 1995. ORE 9,30

La commissaria Adele Sòfia si trova in mano la relazione di Marra e la legge attentamente mentre si caccia in bocca dei tronchetti di liquorizia alla violetta.

«Qui, o mente il figlio o mente il padre, Marra.»

«La madre, le ho parlato, mi pare sincera. Esclude ogni cosa: dice che il marito è un buon padre. Sta tutta dalla parte di lui.»

«Non sarebbe la prima volta. Lavora fuori casa?»

«No, è casalinga.»

«C'è una specie di incaponimento nel farsi guardiane della famiglia, conosco il tipo, a costo di mandare giù rospi grandi come vitelli. D'altronde perdendo il marito perdono anche la sussistenza: la famiglia si sfascia e loro che fanno? hanno paura della verità come della più rovinosa delle tempeste, e la nascondono anche a se stesse, con maniacale perseveranza.»

«Non sempre. Questa mi sembra sincera.»

«Non sempre, certo. Dobbiamo scoprire la verità.»

«È arrivata l'assistente sociale, la signorina Lucia Montagna.»

«È già stata in casa Bacalone?»

«Sì, due volte.»

«Mi dica le sue impressioni sulla famiglia Bacalone.»

«Ho parlato col padre, con la madre. Mi sembrano due persone ben fatte: veneta lei, di famiglia contadina, campano lui, artigiano. Si sono sposati diciotto anni fa quando lei ne aveva appena diciassette e lui nove di più. Ogni anno un figlio o un aborto. Sono molto affiatati anche se in casa girano pochi soldi.»

«Insomma, tutto normale.»

«Dal punto di vista dei genitori sì, dal punto di vista dei figli non tanto. Parlando con loro vengono fuori motivi di risentimento. La figlia Clementina di quindici anni, detesta il padre. L'ha denunciato alle suore per molestie sessuali.»

«Quando, questo?»

«Due anni fa. Lei sostiene che il padre, Bacalone Luigi, ha cominciato a metterle le mani addosso quando aveva cinque anni. Di nascosto dalla madre che, pure, una volta li ha colti sul fatto ma ha finto di non vedere.»

«E le suore?»

«Le suore hanno chiamato il padre e la madre, loro hanno detto che la figlia li odia perché non le hanno permesso di portare in casa il suo ragazzo, un certo Odisseo che è mezzo africano. Le suore hanno fatto altre indagini e hanno dato ragione ai genitori.»

«Ma lei ha parlato direttamente con la ragazza?»

«Sì, certamente.»

«E che impressione ha avuto?»

«Una bugiarda patologica, che non si cura nemmeno di mascherare le sue bugie. Me ne ha dette tante che mi ha confuso la testa. Sul padre, sulla madre, su di sé, sul fidanzato. Secondo me è una mitomane. La madre sembra una bambina pure lei, dice che non riesce a tenerla. La ragazzina si veste come una puttana, e se ne va in giro con uomini adulti infischiandosene di tutto e di tutti.»

«Be', avrà una ragione per comportarsi così... Me li tenga d'occhio, per favore.»

«Ho già appuntamento per la prossima settimana.»

«Ma anche senza appuntamento, provi a capitare in

casa Bacalone senza avvertire, così, casualmente e poi mi racconti.»

22 OTTOBRE 1996. ORE 7,30

«Ancora qui. Non sei Tano Bacalone, tu?»

«Sì, sono io e sono venuto per denunciare mio padre.»

«Per che cosa?»

«Violenza carnale.»

«L'hai già fatto un anno fa. E noi ci siamo informati. Non è risultato niente di niente. Tua madre ti ha smentito su tutti i punti. Anche l'assistente sociale ti ha smentito. I tuoi fratelli hanno detto che non è vero niente quello che racconti e perfino le suore hanno detto che tu e Clementina siete due bugiardi.»

«Hanno paura di papà.»

«Anche l'assistente sociale ha paura di tuo padre?»

«No, lei no, ma non capisce. Si fa incantare dalla parlantina di papà. È un bell'uomo, piace alle donne. Quando parla lo trovano tutti simpatico. I vicini gli vogliono bene, la gente lo stima.»

«Tua madre, anche lei si fa incantare?»

«Sì, anche lei, gli vuole bene. Ma soprattutto ha paura, una paura fottuta... Lui le dice che la ammazza, l'ho sentito io, e lei sa che lui è capace di farlo.»

«Mi pare, Tano Bacalone, che hai la testa "bollente" come dice l'assistente sociale Lucia Montagna. Sembra che te ne stai chiuso in camera a leggere, è vero?»

«È vero, ma che c'entra?»

«Non sarà che i libri ti hanno infiammato il cervello?»

«Al contrario, mi aiutano a fare chiarezza. Senza libri non troverei il coraggio di venire qui a denunciare mio padre.»

«Com'è che non sei venuto prima?»

«Da un po' di tempo mi lascia in pace. Ma ho notato che ha cominciato a interessarsi di mio fratello Mario che ha compiuto l'altro giorno otto anni.»

«E tu ti preoccupi per il fratello più piccolo. Sei proprio generoso.»

«Non sfotta, ispettore. È così.»

«Sentiremo di nuovo tuo padre e tua madre. Ma se menti ancora, finirai in prigione, ti avverto.»

«Io dico la verità, ma non mi credete.»

«Non basta dire una cosa, Tano Bacalone, bisogna provarla. Noi ci siamo informati. Tutti dicono che tuo padre è una brava persona: i vicini, i tuoi fratelli, tua madre, le suore, i negozianti. E perché dovremmo credere a te che sei l'unico che lo denuncia?»

«Lui è bravo, sa farsi benvolere. Ma provi a chiedere a Clementina. Non solo le ha messo le mani addosso quando aveva cinque anni ma l'ha anche data in regalo ad un suo amico, un certo Ubaldo con cui andava a pesca; provi a chiederglielo.»

«Glielo chiederemo. Ma le prove, le prove, Tano. Senza prove le accuse sono acqua persa.»

27 OTTOBRE 1996. ORE 10

«Nome?»

«Clementina Bacalone.»

«Tua madre fa Giuseppa Tognetto?»

«Sissignore!»

«Tuo fratello Tano dice che tuo padre ha approfittato di te quando avevi cinque anni. Confermi?»

«Mio fratello è un bugiardo.»

«Perché dovrebbe dire una cosa per l'altra?»

«Lui lo odia a papà.»

«E tu non lo odi?»

«Io pure lo odio mio padre, ma per i fatti miei. Non lo denuncerei mai.»

«Allora è vero che ti ha fatto del male?»

«Non mi ha fatto niente, lo giuro.»

«È vero che vai in giro con tanti uomini?»

«Sono affari miei.»

«Tua madre dice che parli sboccato e sei ingovernabile.»

«Mia madre è una stupida.»

«Perché ti vesti così?»

«Così come?»

«Come una di strada. Copriti un poco il seno che mi metti cattivi pensieri!»

«Anche a lei, signor ispettore?»

«Anche perché? a chi altro metti cattivi pensieri?»

«A tutti. Mi piace mettere cattivi pensieri. Sono una peste, io. E mi piace così.»

«E perché ti piace essere una peste?»

«Così, per sfizio.»

«E che pensi di tuo fratello Tano?»

«Sta sempre col naso nei libri. El "dotor", come lo chiama mia madre. Si sta facendo brutto a furia di studiare.»

«Ma dice la verità oppure racconta balle?»

«Racconta balle. Come me. Come tutti. Lei non ne racconta mai balle, signor ispettore Marra?»

«Stiamo parlando di tuo fratello Tano. Perciò, racconta balle, eh?»

«Una valanga.»

«Ma perché ci tiene tanto a mandare tuo padre in galera?»

«Perché, perché... boh... è un po' matto, signor ispettore.»

«E tua madre?»

«Mia madre è una bifolca. Stupida come un neonato, come un gambero bollito, come una gallina che fa le uova. A noi ci ha fatti così, senza pensarci.»

L'ispettore si accorge di sudare. Questa ragazzina impertinente e provocante lo indispone e lo irrita. Non capisce niente di lei. Gli è solo antipatica. E non saprebbe dire se mente oppure no, ma certo si sta prendendo gioco di lui.

«Ci hai mai parlato con l'assistente sociale, la signorina Montagna?»

«Lucia Montagna, come no. Viene spesso da noi. Papà le offre il caffè, la mamma le offre i biscotti. Hanno fatto amicizia. Le fanno credere quello che vogliono.»

«Ma allora, tuo fratello Tano direbbe la verità?»

«Mio fratello Tano è un presuntuoso, si crede di fare chissà che mandando in prigione mio padre e mandando mia madre sul lastrico. È proprio deficiente.»

«Quanto guadagna tuo padre, lo sai?»

«Più o meno due milioni al mese. Che non bastano mai.»

«Ci sei mai andata con un uomo a pagamento?»

«Ma lo sa che lei è molto curioso, curioso e morboso, una scimmia insomma. E poi, che è proibito? è proibito vendersi?»

«No, ma... io cerco solo di appurare la verità.»

«La verità! buffonate!»

«È vero che i tuoi fratelli fanno giochi sessuali?»

«Non lo so. Ma anche se lo saprebbi non lo dico.»

«Vuoi fare la misteriosa, e perché? secondo me sei solo una bugiarda matricolata.»

«Faccia un po' lei. Io me ne frego un cazzo.»

«E non dire quelle parolacce.»

«Perché, lei non ha un cazzo, signor ispettore?»

«Vattene a casa, vai. Sei troppo serpentina per me.»

L'ispettore Marra osserva la ragazzina che si alza con aria disinvolta, e si dirige verso la porta ancheggiando vistosamente. È piccolina, come la madre, ma ben fatta e con qualcosa di risoluto e di provocatorio in quella camminata volutamente teatrale.

ORE 15

«Ho parlato con Clementina Bacalone. È bugiarda e violenta, il tipo che si inventa tutto. Forse il padre li picchia qualche volta, ma secondo me ha tutte le ragioni per farlo, con dei figli come quelli.»

«Ma perché i figli sono così? Ci saranno delle responsabilità da parte del padre e della madre se sono in quel modo, no?»

«Quando i figli prendono una strada storta, c'è poco da fare, c'è poco da educare, si odiano e si calunniano a vicenda, è come un virus, che si infila nelle famiglie e fa strage di innocenti.»

«Bisogna vedere se l'odio è una causa o una conseguenza. Vorrei risentire la Montagna. Me la chiama, per favore?»

Lucia Montagna ripete più o meno le cose che ha detto l'ispettore Marra. Clementina Bacalone viene descritta come "spudorata, provocatoria, bugiarda, aggressiva, mitomane, viziosa". Tano viene definito "freddo, presuntuoso e vendicativo".

8 MAGGIO 1997

«Sono venuto con mio fratello Mario, per denunciare mio padre.»

«Ancora! Tano Bacalone, tu finirai in galera, te lo dico io. Sei troppo sfacciato.»

«Racconta all'ispettore che ti ha fatto papà l'altro giorno.»

Il bambino, per tutta risposta si mette a piangere. Il fratello maggiore gli asciuga amorevolmente le lagrime, gli liscia i capelli, gli aggiusta il colletto.

«Non piangere, Mariuccio, non serve a niente. Digli con le tue parole che ti ha fatto papà.»

Ma il bambino non apre bocca. China la testa sul petto e continua a versare lagrime in silenzio.

«Ha paura, ispettore.»

«Non avere paura, Mario. Ti chiami Mario, vero? adesso quanti anni hai?»

«Nove, signor ispettore.»

«L'ho chiesto a te, non a lui. Parla, non avere paura. Ti proteggo io. Guarda quanto sono grande e grosso. E sono anche cintura nera di karate... Vuoi sentire i muscoli qui del braccio?»

Il bambino lo guarda con gli occhi sgranati. Quasi quasi gli verrebbe da allungare una mano per sentire quanto è gonfio il muscolo dell'ispettore Marra, ma nello stesso tempo è intimidito e non riesce a spiccicare una parola.

«Se non parla lui, glielo dico io: l'ha portato in barca con sé e...»

«Non dire cose che non sai, Tano Bacalone. Hai una fantasia perversa. Non voglio sentire niente da te. Se ha qualcosa da raccontare, voglio che sia lui a parlare, tuo fratello Mario.»

«Parla, Mariuccio!»

«È vero che tuo padre in barca ti ha fatto qualcosa di male?»

Il bambino fa cenno di no col capo.

«Ha paura, ispettore, ha paura perché papà gli ha detto che se parla lo strozza. E dopo di lui strozza anche la mamma e me. Lui non parla per proteggerci.»

«È vero che il papà ti ha messo le mani addosso? parla!»

«Vuoi farlo diventare come te, Tano Bacalone? vuoi farlo mentire per forza? vedi che lui nega quello che lo costringi a confessare, dice no, dice no, guardalo.»

«Ma se me l'ha raccontato lui.»

«Perché sa che tu vuoi questo. Ce l'hai con tuo padre e cerchi delle ragioni per colpirlo.»

«Cosa devo dire per farmi credere?»

«Devi solo dire la verità, Tano.»

«Racconta, Mario; racconta che cosa ti ha fatto. Non ti strozza papà, e non strozza nemmeno la mamma, te lo assicuro.»

Il bambino riprende a singhiozzare col mento incollato al petto. Non c'è verso di tirargli fuori una sola parola.

«Lascialo stare. Non ti permetto di torturarlo a questo modo. Riportalo a casa e non farti più vedere, chiaro? Sei un figlio snaturato, non si denuncia il proprio padre innocente.»

Tano Bacalone si alza, prende per mano il fratellino e si avvia verso la porta. Sembrano complici, pensa l'ispettore, hanno qualcosa di triste, di arreso in quelle nuche rasate e leggermente curve come di chi si aspetti da un momento all'altro un colpo in testa. E se fosse vero quello che racconta Tano?

ORE 18

«È venuto di nuovo quel Tano Bacalone, commissaria. A distanza di un anno, portandosi dietro il fratellino più piccolo, Mario Bacalone. Dice che il padre ha abusato di lui in barca. Ma il bambino nega.»

«Non può essere tutto inventato... perché dovrebbe insistere tanto quel ragazzino? torni a interrogare l'uomo. Chiediamo al magistrato per i minori che mandino un assistente sociale. Sarà disponibile la Pertini?»

«La Pertini è in maternità.»

«Di nuovo? a distanza di due anni?»

«C'è la Montagna. Oppure c'è Marco Giorgino, il nuovo arrivato.»

«Chiunque verrà mandato vorrei sapere qualcosa entro la settimana.»

15 MAGGIO 1997

«Posso, commissaria Sòfia?»

«Chi è?»

«Sono Marco Giorgino, l'assistente sociale.»

«Ah, mi dica: ha capito qualcosa della famiglia Bacalone? chi è che mente? il figlio o il padre?»

«Ho letto le carte della Montagna. Sono andato a parlare con l'uomo. Stava giocando con i figli. Tutto allegro, gentile. Abbiamo discorso insieme, a lungo. Ho registrato tutto, vuole sentire?»

«Be', sentiamo.»
Giorgino mette in moto il registratore e si sentono i rumori del traffico che scorre sul fondo. La commissaria ascolta impaziente. Il Giorgino le fa cenno che adesso arriva la voce: «questo è solo un poco di atmosfera di fondo.»
«Non stiamo mica facendo del cinema, Giorgino.»
«Ancora qui?» si sente improvvisamente la voce allegra e leggermente irritata di Bacalone padre.
«Continuano a giungerci denunce contro di lei, Bacalone.»
«Ma da parte di chi?»
«Questo non possiamo dirlo.»
«So bene chi mi denuncia. È mio figlio Tano, vero?»
«Le assicuro di no.»
«Non importa. La verità avrà la meglio sulla menzogna e le insinuazioni. Chieda ai miei figli se ho mai fatto mancare loro qualcosa, lo chieda a mia moglie.»
«Qui non si tratta di fare mancare qualcosa, ma di aggressioni sessuali.»
«Lo chieda a loro, visto che non crede a me.»
«Ma lei perché pensa che sia stato suo figlio Tano a denunciarla?»
«Non voglio parlare, mi creda, non voglio nuocergli, anche se lui fa quanto gli è possibile per nuocere a me. Nonostante tutto gli voglio bene, è mio figlio e non posso augurargli del male.»
«Perché augurargli del male?»
«Non mi faccia parlare...»
«Siamo qui per capire.»
«Ha qualcosa di morboso, quel ragazzo. Sto cercando di curarlo ma lui ci ricasca sempre.»
«In che senso, morboso?»

«Purché lei non lo racconti alla commissaria, me lo promette?»

«Glielo prometto.»

«Be', come dire... mio figlio Tano ha delle attenzioni perverse nei confronti del fratello minore. Che lo adora, badi bene, lo segue ovunque. Ma lui varie volte ha tentato di... be', non voglio dire la parola che mi brucia la bocca, non voglio dirla. Non vorrei che andasse a finire in una casa di correzione. Ma devo anche preoccuparmi per il piccolo che da qualche tempo non mangia più, non studia, la notte si sveglia con gli incubi. Tano in fondo è buono, è generoso, solo che ha quel gusto lì: un bisogno terribile di sottomettere qualcuno alle sue voglie. Il fratellino Mario subisce. Ma io non li lascio mai soli, li tengo d'occhio e così anche sua madre...»

«Lei capisce che non posso tenere per me una cosa così grave. Dovrò per forza parlarne alla commissaria.»

«Non lo faccia, la prego. Mio figlio è un bravo ragazzo, glielo garantisco, e a parte quella piccola ossessione, non posso lamentarmi di lui... studia, legge, si istruisce.»

«Non si tratta di una piccola cosa, ma di un grave abuso. Dovrò chiedere che venga allontanato da casa.»

Ora la voce di Bacalone non si sente più e il nastro gira a vuoto.

Adele Sòfia si sorprende per le parole di Bacalone. Finalmente qualcosa è venuta fuori. Ma qual è la verità? chi sta mentendo?

«È una voce serena, tranquilla, come ha sentito» interviene Giorgino, «suona anche sincera.»

«Io ci ho sentito un pizzico di ipocrisia. Quella richiesta di non dirlo a me, sembrava fatta apposta per spingerla a raccontarmelo.»

«Se l'avesse avuto davanti credo che non avrebbe

dubbi. È un uomo che si tormenta per i figli. Una, Clementina, praticamente fa la prostituta, senza guadagnarci nemmeno sopra, per il piacere di farlo. L'altro, Rosario, già beve come un alcolizzato all'ultimo stadio. La madre si muove in quella casa come un topo spaventato. A me sembra completamente nevropatica. Adora il marito ma, anziché aiutarlo, gli mette il bastone fra le ruote.»

«Quindi lei giurerebbe sull'innocenza di quell'uomo?»

«Francamente, sì.»

«Ha parlato col ragazzo, Tano Bacalone?»

«Be', certo. Ma è diffidente, chiuso. Dice che quello che doveva raccontare l'ha già raccontato, che ne ha prese troppe da suo padre e che sta cercando una occasione per andarsene.»

«Perché, secondo lei, ce l'ha tanto col padre?»

«Non lo so. Forse perché il padre ha scoperto il suo segreto sessuale. Quella propensione all'incesto di cui si parlava prima.»

«E con la madre ci ha parlato?»

«La madre è completamente dalla parte del marito. E anche gli altri figli. Salvo Clementina che provoca sempre e non si capisce quando dice il vero e quando mente. Sono andato anche a cercare il fratello maggiore, Rosario, che fa il meccanico. Sostiene che non ha niente da rimproverare al padre.

«È solo Tano che insiste con quelle accuse terribili. Ma ho visto altri casi di odio mortale fra padre e figlio. È difficile metterci il naso. Si insultano a vicenda, si accusano di cose obbrobriose. Ma è tutto inventato, tutto falso.»

«Il padre accusa il figlio di abusi sessuali nei riguardi del fratellino, mentre il figlio accusa il padre di abusi sessuali nei riguardi dei cinque figli. Tutti e due senza ragione, per il gusto di inguaiare l'altro? mi sembra troppo.»

«C'è un tale astio fra i due che qualsiasi calunnia sembra possibile.»

«Eppure uno dei due mente.»

«Se fosse solo il padre ad accusare il figlio, si potrebbe dubitarne. Ma con lui stanno la madre, i fratelli e tutti i vicini. Tano è solo.»

«Insomma, lei consiglierebbe di lasciarli ai loro veleni e non pensarci più.»

«Secondo me non caviamo un ragno dal buco. È inutile insistere.»

«Eppure voglio tenerli d'occhio. Bisogna scoprire la verità.»

«Posso andare, commissaria? ho due bambini piccoli a casa che mi aspettano.»

Adele Sòfia lo accompagna alla porta, quindi torna alla sua sedia girevole. Pesca nella borsa un sacchetto di carta e lo appoggia sul tavolo. Vi immerge le dita e ne tira fuori una lumachina di liquorizia. Prende a succhiarla pensando ai casi della famiglia Bacalone. "Devo andare di persona a vedere" si dice. Ma proprio in quel momento sente il fax che si mette in moto. Viene dal questore che le chiede di occuparsi di un delitto accaduto la notte scorsa: una prostituta albanese è stata trovata morta, uccisa con un colpo di pistola alla nuca, sul treno Roma-Ostia.

3 LUGLIO 1998

«Pronto? Ah, ciao, Filippo, che c'è?»

«È sparito il figlio più piccolo di Luigi Bacalone. Il fratello ha fatto denuncia.»

«Lascia perdere. Quello ha la mania delle denunce.»
«Nel frattempo i colleghi di Prima Porta hanno trovato il cadavere di un bambino, nudo, sulle sponde del Tevere.»
«Affogato?»
«Porta segni di strangolamento.»

ORE 16,30

«Commissaria Sòfia, Tano Bacalone ha riconosciuto nel cadavere del fiume il fratellino Mario. Sostiene che è stato il padre ad ucciderlo. Il padre, a sua volta, accusa il figlio di avere fatto fuori il fratellino.»
«Avete fermato il ragazzo?»
«Sì, è qui.»
«E il padre?»
«È qui anche lui. Urla e strilla che è stato Tano. Il bello è che tutti gli credono, dalla moglie ai figli ai parenti, ai vicini.»
«Come è stato ucciso?»
«Strangolato...»
«Proviamo a tenerli separati per un po'. Il padre da una parte, i figli dall'altra, la madre sola, la figlia più piccola in un istituto. Dobbiamo scoprire cosa è successo.»

ORE 18

«Qui sostengono che non abbiamo saputo "prevenire". Tutti usano questa parola: PREVENIRE. A me brucia, commissaria, brucia.»
Adele Sòfia alza lo sguardo sull'assistente sociale Marco Giorgino che avanza con un pacco di giornali e li posa con disprezzo, rabbiosamente, sul tavolo.

«La vedo turbato, Giorgino. Non lo sa che i giornali sono come i corvi, sempre pronti a gracchiare?»

«È questa parola che mi offende: prevenire, ma come? mettendo in galera un ragazzo solo perché dice delle bugie? come si fa a sapere in anticipo che uno finirà per ammazzare il fratello?»

«Be', c'erano state parecchie avvisaglie.»

«Mica si può arrestare qualcuno prima che abbia disatteso la legge.»

«Disatteso mi sembra un eufemismo di fronte a un delitto così brutale.»

«Ci sarebbero saltati addosso se avessimo fermato il ragazzino o il padre. Ci avrebbero accusati di invadenza, arbitrarietà, autoritarismo e chissà che altro.»

«Dobbiamo scoprire chi ha ucciso il bambino. Lasci stare i giornali. È ora di rimboccarci le maniche.»

«È talmente chiaro che è stato Tano Bacalone. Una tragedia annunciata... io l'ho sempre detto che era un bugiardo pieno di sé, freddo e capace di tutto.»

«Dare per scontata la verità solo perché appare più verosimile non è una buona idea.»

«Che debbo fare?»

«Andiamo a parlare con Clementina. Mi sembra l'anello più debole sebbene appaia il più rigido.»

ORE 20

«Clementina Bacalone, può dirci quando ha visto per l'ultima volta suo fratello Mario?»

«Ieri mattina, prima che usciva con papà per andare a pescare.»

«È sicura che sia uscito con suo padre? sua madre dice che è rimasto a casa con lei.»

«L'ho visto io che andavano insieme. Mio padre aveva la canna da pesca e il paniere dove tiene le esche e gli ami.»

«Come era vestito suo fratello Mario?»

«Pantaloni lunghi neri e maglietta a righe rosse e blu. Aveva pure un cappelletto bianco da colonia in testa.»

«Era contento di uscire?»

«No, piangeva. Ma papà gli ha detto qualcosa nell'orecchio e lui ha smesso di fare i capricci.»

«Come era vestito suo padre?»

«Pantaloni marrone e camicia con palme stampate sopra.»

«Secondo lei, chi è stato ad uccidere Mario?»

«Mio padre.»

«E perché non l'ha detto prima?»

«Nessuno me l'ha chiesto.»

«E perché suo padre avrebbe ucciso il figlio?»

«Probabilmente perché Mario si era messo a scalciare. Magari non voleva ucciderlo ma solo spaventarlo.»

«Come fa a essere così sicura di quello che è successo?»

«Mio padre non sopporta rifiuti. Diventa cattivo. Capace di strozzarti con quelle mani dure... e di picchiarti fino a farti cadere per terra svenuto.»

«Perché non l'ha detto prima all'assistente sociale Giorgino quando è venuto a trovarla l'ultima volta?»

«Allora papà stava in casa. Spero che ci marcisca, in galera.»

«Lo odia?»

«Certo che lo odio.»

«E com'è che sua madre invece sostiene che è innocente?»

«Non lo vedete che trema come una foglia quando parla di lui?»

«Quindi esclude che possa essere stato suo fratello Tano a uccidere il bambino?»

«Tano l'ha sempre difeso. Ma non ha difeso me. E neanche se stesso. È un bastardo. Ha mandato in rovina la famiglia.»

«In che modo?»

«Facendo le denunce, eccetera, eccetera. Se non era per lui, Mario a quest'ora era ancora vivo.»

«Ma se ha detto poco fa che è stato suo padre ad ucciderlo.»

«Sì, mio padre, ma perché esasperato da Tano. Si è sfogato sul più debole. Noi ormai gli teniamo testa. Erano rimasti la mamma, Michelina e Mario.»

«È disposta a mettere tutto a verbale? facciamo una denuncia scritta.»

«No, io la spia non la faccio. Mio padre è bravo. L'ho detto anche al parroco. La mamma e lui sono felici insieme.»

«Ma se poco fa...»

«Poco fa era poco fa. Adesso è adesso. Io non voglio denunciare nessuno. Mica sono una sbirra.»

«Comunque noi l'abbiamo sentito e anche inciso.»

«Mi sono inventata tutto, stupidi! quando uscirà mio padre? voglio vederlo, la casa senza di lui è uno schifo; povera mamma, non ha fatto che piangere questa notte. Tano doveva morire, non Mario, Tano quel fetente bastardo rotto in culo...»

4 LUGLIO 1998

È la volta di Giuseppina Tognetto Bacalone che si presenta al commissariato avvolta in uno spolverino nero da cui escono due gambe magre e bianche da malata.

«Signora Bacalone, lo sa che sua figlia Clementina ha detto di avere visto suo marito che usciva la mattina di domenica con il piccolo Mario per andare a pesca dalle parti di Prima Porta?»

«Clementina si sbaglia. Mio marito è andato a pesca ma Mario è rimasto con me.»

«E com'è che è stato trovato, strangolato, dalle parti di Prima Porta?»

«Che ne so. Qualcuno l'avrà portato lì.»

«Qualcuno chi?»

«Un mostro. Ce ne sono tanti.»

«Suo marito a che ora è uscito?»

«Verso le sette.»

«Lui dice di essere uscito alle nove.»

«Se lo dice lui vuol dire che è così. Io non ho orologio e non lo so.»

«Com'era vestito?»

«Aveva un pantalone americano.»

«Blue-jeans?»

«Sì, quelli e una camiciola celeste.»

«Invece quando è stato fermato aveva i pantaloni marrone e una camiciola con le palme.»

«Si sarà cambiato. Qualche volta si portava il ricambio quando andava al fiume.»

«Com'era vestito suo figlio Mario quella mattina?»

«Pantaloncini corti blu e maglietta verde.»

«Ne è sicura?»

«Glieli ho messi io addosso.»

«È stato trovato nudo. Ma la maglietta, a righe rosse e blu, l'hanno rinvenuta i nostri uomini, impigliata in un ramo lì vicino. La riconosce?»

«Ah sì, mio povero Mario.»

La donna scoppia a piangere e non c'è verso di tirarle fuori un'altra parola. D'altronde come si fa a infierire su una madre appena privata del figlio?

La commissaria le offre un bicchiere d'acqua. La guarda bere, fra un singhiozzo e l'altro, mentre abbassa gli occhi chiari e tristi sul bicchiere. È come se le stesse dicendo qualcosa nel linguaggio muto e involuto dei deboli, ma cosa?

5 LUGLIO 1998. ORE 15

Rosario è un ragazzone alto e grosso, i capelli scuri tagliati corti, le mani macchiate di nero, gli occhi piccoli, vicini che gli danno uno sguardo porcino, diffidente e rabbioso.

La commissaria Adele Sòfia lo fa accomodare davanti a sé. Lo osserva un minuto, in silenzio, mettendolo in evidente imbarazzo.

«Rosario Bacalone, lei dov'era quella mattina di domenica in cui è stato ucciso suo fratello Mario?»

«Al lavoro.»

«Che lavoro fa?»

«Il meccanico, per il momento, ma studio ingegneria.»

«Quando l'ha visto suo fratello Mario l'ultima volta?»

«Due giorni prima, venerdì, quando sono andato a trovare mamma.»

«Suo padre non era in casa?»

«C'era. Ma io con lui non ci parlo.»

«E perché?»

«Perché no.»

«Le ha fatto qualcosa?»

«Fatto qualcosa? vuole scherzare? mi ha rovinato. E con me ha rovinato mia sorella, mio fratello Tano e ora anche Mariuccio.»

«Perché rovinati?»

«Non le basta che l'ha strangolato?»

«Come fa a essere così certo che sia stato proprio suo padre?»

«Faceva sempre così quando uno di noi diceva di no alle sue prepotenze, ti picchiava e se insistevi, ti metteva le mani al collo. Si vede che ha stretto più del solito. Prima sapeva fermarsi in tempo.»

«L'ha fatto anche con lei?»

«L'ha fatto, l'ha fatto... In cucina, in barca, e non potevi fiatare perché se no ti prendeva per il collo e stringeva. Solo quando sono diventato più alto di lui ha smesso.»

«Ma perché non ha mai detto niente?»

«Avevo paura. Anche la mamma ha paura.»

«Sua madre ha sempre sostenuto che era un buon marito e un buon padre.»

«Lo amava.»

«Nonostante la picchiasse?»

«Forse non era amore. Ma non era nemmeno solo paura. Per lei era come un dio e mica si può dire no a un dio.»

«Anche per lei suo padre era un dio?»

«Forse sì, per molti anni, sì; per via di mia madre, era forse un dio cattivo ma grandissimo, bisognava fare come voleva lui, altrimenti erano guai.»

«Le risulta che abbia usato le stesse violenze anche a Tano e a Clementina?»

«Le ragazzine gli piacevano poco. Infatti, fra Michelina e Mario, ha scelto Mario. Ma certo, anche Clementina ha dovuto subire. Era una legge: la legge di famiglia e non si poteva dire di no.»

«Ma perché non l'ha fatto capire agli assistenti sociali, alla polizia, mai una parola in tanti anni...»

«Non lo so, volevo scappare e sono scappato, ho fatto la fame per anni. Alla fine mi sono sistemato. A casa ci tornavo solo per vedere mia madre.»

«E quando incontrava suo padre?»

«Cercavo di non incontrarlo, ma se succedeva non lo salutavo. A lui non gliene importava niente. Ormai ero carne morta. Per lui la carne viva è solo quella dei bambini. Lui ha bisogno di quella carne lì, il resto non conta.»

«Ma sua madre...»

«Su mia madre ci poteva contare e lo sapeva: non l'avrebbe mai tradito, per nessuna ragione. Lui spesso la abbracciava, le diceva: sei la mia Peppina, come farei senza di te? e lei era contenta.»

«Sono venuti tante volte gli assistenti sociali. Ma perché non parlarne, magari solo un accenno, una sola parola che lasciasse capire la verità?»

«Voi credevate a lui. Tutti credevano a lui, sempre, perché era affettuoso e gentile quando voleva. Era un padre tenero, anche. Si vedeva che si occupava solo di noi. Non aveva amanti, non beveva; un padre proprio bravo, dicevano. La famiglia prima di tutto, per lui non c'era altro. E anche quando ci prendeva a botte lo faceva per noi, per insegnarci qualcosa.»

«Tutti coalizzati a dire bugie. Ma quando Tano ha denunciato il padre la prima volta, nel '95, non ha sentito la voglia di solidarizzare con lui?»

«Tano è pazzo. E difatti ecco la fine che ha fatto.»

«Ma chi è che ha ucciso Mario, Tano o Luigi?»

«Mio padre sicuramente. È uscito con lui la domenica mattina per andare a pesca.»

«Come lo sa?»

«Me l'ha detto Clementina.»

«Quando?»

«Subito, quella mattina. Mi ha telefonato per dire che erano andati insieme al fiume e che Mario piangeva e scalciava e lui l'ha minacciato.»

«Ma perché l'avvertiva, sua sorella?»

«Mi chiedeva di raggiungerli al fiume per riportare a casa mio fratello. Ma io non l'ho fatto.»

«E perché?»

«Sapevo che doveva succedere: era toccato a me anni fa, ora toccava a lui. Ci dovevano passare tutti.»

«Ma non prevedeva che sarebbe finita con la morte di Mario.»

«No, questo non me l'aspettavo. Con noi era sempre andato liscio: bastavano poche parole e tutto si appianava. Ma forse Mario ha resistito, ha fatto il matto e lui ha stretto di più.»

«È disposto a firmare la denuncia?»

«No, assolutamente no. Finché non muore mio padre io non lo denuncio... Anche se fa qualche anno di galera, poi esce, questo è il fatto: poi esce.»

6 LUGLIO 1998. ORE 9

Luigi Bacalone se ne sta seduto comodo, con la sigaretta in bocca. Ha l'aria di sfidare il mondo intero. Tiene le gambe accavallate e fa andare su e giù il piede sospeso per aria. Non c'è dubbio che sia un bell'uomo: ha gli occhi grandi, verdi, la faccia dai tratti regolari, dorata dal sole, una bocca bella, ben disegnata con i denti bianchi, intatti che si intravvedono fra le labbra socchiuse. Non ci vuole molta immaginazione per capire l'amore cieco di Giuseppa Tognetto per quest'uomo elegante anche se squattrinato, dai modi morbidi e sensuali.

«Luigi Bacalone, ammette di avere ucciso suo figlio Mario?»

«È stato Tano. Io ve l'avevo detto che ci aveva già provato. Vi avevo avvertito. Voi non mi avete creduto.»

«Le abbiamo creduto anche troppo, Bacalone. Le denunce sono cominciate nel '95 e noi le abbiamo sempre archiviate perché tutti in famiglia parteggiavano per lei.»

«E chiedete, chiedete a mia moglie che tipo di marito e di padre sono...»

«Suo figlio Rosario ha detto che lei lo ha violentato quando aveva sette anni.»

«Non è vero.»

«Vuole sentire la registrazione?»

«Non voglio sentire niente. I miei figli mentono. Perché io li ho picchiati, e anche malamente, signora commissario, li ho sempre picchiati, perché si comportavano da maiali, ossessionati dal sesso. E loro non me l'hanno mai perdonata. Ma provi a parlare con mia moglie. Glielo spiegherà lei come andavano le cose in famiglia.»

«Sua moglie ha detto che se la teniamo prigioniero parlerà.»

«Li conosco i vostri trucchi, mi volete intrappolare con una confessione inventata per farmi paura. Ma io non ci casco. Mia moglie è sincera, mia moglie è fedele al cento per cento.»

«Nessuno è fedele al proprio aguzzino.»

«Io, aguzzino? chiedetelo a Clementina.»

«Clementina ci ha detto che lei le ha messo le mani addosso quando aveva cinque anni.»

«Se ha detto questo, mente.»

«Mentono tutti, ora.»

«Mente e so anche perché. Voleva la libertà e io non gliel'ho mai data. Quando aveva dieci anni, doveva vederla, signora commissaria, con le calze a rete, il seno di fuori... è una pervertita.»

«A dieci anni pervertita?»

«Sì, quella è nata così, assatanata. Ogni uomo che vedeva gli si strusciava contro. Così ha fatto anche con me, sempre, sempre. Appena sua madre voltava gli occhi, si infilava nel mio letto e...»

«Lei vorrebbe sostenere che sono stati i suoi figli, a cinque, sette, nove anni, a sedurla. Ha un'idea originale della nostra credulità.»

«Non sto parlando dei maschi. Io coi maschi non ho mai avuto niente a che fare. Io non vado coi maschi, commissaria. Io sono regolarmente sposato. Con la femminuccia qualcosa sì, lo ammetto, è successo, perché lo voleva lei, ma i maschi, perché avrei dovuto toccarli, mica sono un invertito, io!»

«Tano, suo figlio Tano è venuto tre volte a denunciare le sue violenze sessuali. Ed è stato il primo a denunciare la scomparsa del bambino.»

«Tano mi odia. Perché ho scoperto le sue manovre sessuali col fratellino. Lui sì, ci va coi maschi. Chieda ai vicini. Non ha mai avuto una fidanzata, una ragazza, niente. Solo amici. Chieda alla scuola dove è stato scoperto nei gabinetti abbracciato con un altro bambino. Chieda al preside dell'Istituto Padre Pio.»

«Si rende conto che sta accusando i suoi figli proprio delle cose che ha sempre fatto lei?»

«Io non ho fatto niente. Interroghi mia moglie.»

«Sua moglie ha paura di lei.»

«No, mia moglie mi ama e mi rispetta. E mi è fedele. È l'unica che non mi tradirà mai.»

«Questo vuol dire che la considera una complice. Vuole che arrestiamo anche lei?»

«Mia moglie mi ama e io amo lei.»

«Questo l'abbiamo capito. Intanto mi dica: come era vestito suo figlio Mario la mattina che è uscito di casa con lei?»

«Non è uscito con me. È rimasto a casa.»

«Va bene, ammettiamo che sia rimasto a casa. Si ricorda come era vestito quella mattina? l'avrà comunque salutato, no? come era vestito?»

«E chi si ricorda? Comunque, forse, non so, pantaloncini corti e maglia verde.»

«È quello che sostiene sua moglie. Quando vi siete messi d'accordo?»

«Ma quale accordo! è la verità.»

«Sua figlia Clementina vi ha visti uscire insieme. E sostiene che Mario indossava un paio di pantaloni lunghi neri e una maglietta a righe rosse e blu.»

«Mente.»

«Sta di fatto che noi abbiamo trovato impigliata in un ramo che sporge sul fiume una maglietta a righe rosse e blu.»

«Mio figlio non era con me quella mattina. Chiedetelo alla madre che l'ha tenuto sempre con sé.»

«E com'è che il suo corpo è stato trovato sul greto del Tevere, a cinque chilometri da casa?»

«L'odio di mio figlio Tano è tale che sarebbe capace di averlo portato lui al fiume, di averlo ucciso e poi lasciato la maglietta lì per incriminare me.»

«I suoi figli sarebbero dei pervertiti e lei un povero padre abbindolato, è questo che vuole farci credere?»

«Si sono messi contro di me perché li ho picchiati, ve l'ho detto. Mi odiano per questo. Ma io l'ho sempre fatto a fin di bene.»

«Quindi non ha niente da confessare.»

«Confessare che?»

«Non creda di farla franca. Ha già troppi testimoni contro.»

«Mettete sotto torchio mio figlio Tano. La verità verrà fuori. È lui che ha ammazzato Mario. È lui che l'ha violentato.»

ORE 14

«Giuseppina Bacalone, le chiedo per la quarta volta, dov'era suo figlio Mario quella mattina di domenica?»

«Con me, a casa.»

«Sua figlia Clementina ci ha detto che è uscito col padre.»

«Può dire quello che vuole. La xe una busiara, una bugiarda.»

«Anche suo figlio Rosario sostiene che il bambino è uscito col padre.»

«Mio figlio Rosario che ne sa? non abita con noi, quella mattina non c'era a casa.»

«Ma la sorella gli ha telefonato e abbiamo la prova dai tabulati della Telecom che effettivamente la chiamata c'è stata.»

«Io non so di tabulati. Lui non c'era.»

«Quindi suo figlio Mario sarebbe rimasto tutta la mattina in casa con lei?»

«Sì.»

«Per tutta la mattina, sicura?»

«Go dito de sì.»

«Ma lei sa che è morto a mezzogiorno e quaranta, strangolato. Come ha fatto a essere sul fiume a quell'ora se era con lei a casa?»

«Verso le undici 'l xe andà zó in cortile a zugar. L'avranno portato via allora.»

«E chi?»

«Che ne so.»

«Quindi lei non sa niente.»

«Niente.»

«Com'era vestito suo figlio quella mattina?»

«Pantaloncini corti blu e maglietta verde.»

«Come era vestito suo marito quella mattina?»

«Non ricordo.»

«Insomma, lei non vuole assolutamente aiutarci a trovare la verità. Si rende conto che col suo silenzio ha permesso a suo marito di continuare a fare del male ai suoi figli bambini?»

«Mio marito non ha mai fatto male a nessuno.»

«Quindi i ragazzini si starebbero inventando tutto?»

«Tutto.»

«Ma suo figlio Mario è morto.»

«No lo gà masà me marìo.»

«Suo marito comunque non uscirà di prigione. Ci sono troppe testimonianze contro di lui. Lei cosa farà da sola?»

«Non lo so. Ci anderò a trovarlo in carcere.»

«Ma perché vuole negare quello che i suoi figli ammettono?»

«Che cossa?»

«Che suo marito ha abusato dei suoi figli, di tutti, chi quando aveva cinque anni, chi sette, e poi ha seguitato a tormentarli tenendoli sotto la minaccia delle botte?»

«Non è vero.»

«Come fa a esserne così sicura? non le viene nemmeno un dubbio?»

«Mio marito mi vuole bene, me lo dice sempre. Fa l'amore con me ogni sera che dio comanda, non è possibile che voesse fare l'amor anca coi maschi, no el xe miga un finocchio.»

«Per questo lo protegge, contro ogni evidenza? per non ammettere che è un finocchio? ma è più grave ammazzare il proprio figlio o essere considerato un finocchio?»

«Lui non l'ha ammazzato, questo è sicuro.»

«Eppure, signora Bacalone, lei sa che suo figlio Mario non era con lei quella mattina, lei sa che è uscito con suo padre. Quindi sta mentendo anche a se stessa. Se lei pensasse che veramente suo marito è innocente, non sentirebbe il bisogno di mentire per proteggerlo. Lei sospetta ma non vuole dirlo, altrimenti non avrebbe detto una bugia sulla sua uscita e non si sarebbe messa d'accordo con lui sul vestito di Mario. Faccia un altro passo avanti e si chieda: perché mio marito non vuole che si sappia che è uscito col bambino? se fosse stato un atto innocente come tanti altri, che bisogno aveva di negarlo? perché quella domenica mattina il bambino doveva essere a casa, se lo è chiesto?»

«Lasciatemi in pace, io non so niente.»

«Perché vuole continuare a proteggerlo contro ogni logica, signora Giuseppa Tognetto?»

Ma la donna piange. Sembra soffocare nei suoi singhiozzi. E Adele Sòfia è costretta a rimandarla a casa.

«È cocciuta come un asino» commenta l'ispettore Marra guardandola andare via.

«Fa pena. Non ha ancora quarant'anni e sembra una vecchina.»

«L'ha data a bere a tutti gli assistenti sociali e a tutti i giudici finora, per anni e anni. Sarà per amore della famiglia ma mi sembra una pazza.»

«L'ha mai letto un libro di Gide intitolato *La sequestrata di Poitiers*. Racconta la storia di una donna che è vissuta chiusa in una stamberga, al buio, in mezzo ai suoi stessi escrementi, fra le blatte e i topi. Tutto perché si era innamorata di uno che la famiglia non approvava. Dopo trent'anni, vanno a liberarla e lei si aggrappa al letto gridando: "voglio la mia grotta, voglio la mia grotta". Il fatto è che o si muore o si fa alleanza coi propri torturatori e ci si affeziona agli strumenti di quella tortura.»

«Ma poi ci si sente in colpa per questa alleanza e ci si giudica abbietti e quindi si considera giusta la punizione che si subisce. Un circolo vizioso, insomma.»

«Quella donna ancora non si è resa conto della morte del suo bambino.»

«Che facciamo, chiediamo il suo arresto per connivenza?»

«No, sarebbe peggio. Ci deve arrivare da sola. Ci arriverà.»

10 AGOSTO 1998. ORE 8,30

«I giornali sono divisi, ha visto? c'è chi dà ragione al padre. I figli hanno ritrattato, non ci sono prove.»

«Ho letto. Finché non dirà la verità la madre, i figli saranno così, ballerini. Salvo Tano che si è sempre attenuto alle prime affermazioni. È un ragazzino coraggioso.»

«Come fare confessare la madre?»

«Tenendola lontana dal marito, direi. Ma per quanto è possibile farlo?»

L'ispettore Marra infila una mano nel sacchetto di carta che sta sul tavolo, accanto al telefono e si porta alla bocca due pesciolini di liquorizia. Adele Sòfia sorride. È la prima volta che lo vede attingere alla sua provvista di liquorizia per bambini.

I loro sguardi si incontrano facendosi delle domande mute. Sarà amicizia la loro, o solo comprensione professionale? si capiscono al volo e quando parlano lo fanno soprattutto per chiarire a se stessi i pensieri ancora confusi e ingarbugliati. Tante volte ha pensato che l'amicizia fra uomo e donna è impossibile. Ma chi l'ha detto? non sarà un luogo comune come tanti altri? l'ispettore Marra ha più o meno la sua età, forse qualche anno di meno, è sposato, ha due figli e forse ha letto qualche libro meno di lei. Ma la sua generosità e la sua solerzia non deludono mai.

Sono anni che lavorano insieme e la stima reciproca, anziché scemare, è andata aumentando. Eppure fuori dal lavoro non si vedono mai. Lei nella sua casa del Testaccio, chiusa nella piccola comunità femminile: cinque donne che fanno mestieri diversi, chi medico, chi bibliotecaria, chi ricercatrice, chi poliziotto come lei; lui nella sua abitazione di San Giovanni con la moglie siciliana e i figli adolescenti. Non sono mai andati al cinema insieme, mai hanno pranzato allo stesso tavolo, eppure si conoscono come due fratelli e l'uno sarebbe disposto a farsi bruciare una mano per l'altro. È questa l'amicizia? probabilmente sì, una forma sublimata di amore.

Davanti al giudice, Clementina si rimangia tutto quello che aveva detto alla commissaria. Così anche Rosario. Solo Tano insiste nella sua versione dei fatti, ma alla sua parola si contrappone quella del padre che giura di averlo visto a sua volta uscire col bambino.

I giudici non possono condannare un uomo senza prove, di fronte a dei testimoni che cambiano idea ogni momento. Anche se ormai sono convinti della colpevolezza dell'uomo. Finché la moglie lo difende e giura di avere tenuto il figlio con sé, c'è poco da fare.

Adele Sòfia, rimangiandosi quello che aveva detto prima, decide di mettere insieme i figli con la madre. «Forse la convinceranno a parlare.»

«E se invece i figli si intestardissero ancora di più nel loro diniego?»

«Proviamo.»

Così viene fatto. I figli, ritirati dagli istituti sono riportati alla madre che era rimasta sola in casa. L'assistente sociale, Anna Maria Pertini, finito il congedo per maternità, viene mandata a parlare con loro. E finalmente, una mattina, ecco la bella notizia: la madre, sentendosi i figli contro, si è decisa a parlare.

Adele Sòfia si precipita da lei.

4 SETTEMBRE 1998. ORE 20

«Signora Giuseppa Tognetto, ho sentito che voleva parlarmi.»

«Sì, volevo dire che quella domenica mattina, mio figlio Mario 'l xe sortìo con mio marito.»

«Sono contenta che le si sia schiarita la memoria. E com'era vestito, se lo ricorda?»

«Pantaloni lunghi neri e maglietta a righe rosse e blu.»

«La maglietta che è stata trovata sul greto del Tevere?»

«Sì, quella.»
«Quindi sua figlia Clementina ha detto la verità, anche se poi si è rimangiata tutto varie volte.»
«Sì.»
«E crede a suo figlio Tano quando dice che suo marito l'ha violentato all'età di sette anni?»
«Sì, gli credo.»
«Ma lei aveva mai indovinato qualcosa, mai sospettato, mai pensato...»
«No, niente.»
«Neanche un lontano sospetto?»
«Come facevo?»
«Una volta, dice sua figlia, lei li ha trovati insieme, Clementina e suo marito, in un atteggiamento morboso. Neanche quella volta ha pensato niente?»
«No, mai.»
«Come mai, adesso, ha cambiato idea?»
«Go parlà coi miei figli.»
«Come mai non voleva crederci?»
«Era impossibile, impossibile, l'ho detto: me marìo faceva l'amore con me, tutti i giorni. Non ci sono mai piaciuti i maschi, a lui, come potevo pensare che metteva le mani addosso ai nostri figli? ancora ancora Clementina, ma i figli maschi...»
«Le sembra giusto che un padre approfitti della propria figlia di cinque anni?»
«No, lo so che è brutto, ma è più normale.»
«Più normale?»
«Be', succede, ma i figli, i figli maschi no... è impossibile.»
«Ora ha cambiato idea. Solo perché ha parlato coi figli o perché sa che rischierebbe di andare in galera anche lei per complicità?»

«La galera non c'entra. Go capìo chi 'l xe quell'uomo.»

«E ci sono voluti più di vent'anni di matrimonio e la morte di un bambino per capirlo?»

«Non ci potevo credere, commissaria, non ci potevo credere, era così affettuoso, con me, coi bambini, così pronto a letto, così gentile e aperto con tutti, la gente gli voleva bene, come facevo a...»

«Eppure, suo figlio Tano aveva detto anni fa...»

«Tano odia suo padre.»

«Ma perché lo odiava? non se l'è mai chiesto?»

«Per odio lo voleva in galera.»

«Adesso è pronta a denunciarlo?»

«Sì.»

Adele Sòfia le mette davanti un foglio da firmare. Quella donna le suscita una pietà rabbiosa. Come si possa provare pietà e rabbia insieme non saprebbe spiegarlo, ma è così.

Quel mucchietto di stracci col muco al naso le stringe il cuore, ma nello stesso tempo vorrebbe scuoterla, mandare all'aria gli stracci e metterla di fronte ai danni che ha provocato la sua cocciutaggine.

6 SETTEMBRE 1998. ORE 11

«I figli hanno firmato la deposizione contro il padre. Ora Tano potrà uscire dal riformatorio.»

«Vuole una liquorizia al profumo di gelsomino?»

«Preferisco il tronchetto alla violetta.»

«È fortunato, ne ho appena comprato un sacchetto.»

«Mi sento meglio dopo mesi.»

«Si sente meglio perché il colpevole è stato punito?»

«Credo di sì.»

«Che coscienza da poliziotto, Marra. Il suo respiro va in sintonia con i compiti della giustizia. Ma siamo più soddisfatti perché abbiamo fatto il nostro dovere o perché il successo attira l'attenzione dei politici su di noi e i giornali finalmente ci applaudono?»

«Non lo so, commissaria, respiro meglio sapendo che quell'uomo è chiuso per almeno trent'anni.»

«Eppure lei lo trovava simpatico, "certamente innocente", mi ricordo ancora le sue parole.»

«Mi aveva infinocchiato, come ha infinocchiato tutto il vicinato. Allegro, cordiale, gentile, assennato, generoso, come si poteva pensare che...»

«Bisognerebbe sempre credere ai bambini prima che agli adulti.»

«E se mentono?»

«Vale la pena di correre il rischio.»

Un numero sul braccio

In vacanza a Buenos Aires, Mara Grado cammina per la elegante via De Gama osservando le vetrine. In realtà non si tratta di una vera vacanza: è venuta in Argentina per assistere la figlia che deve affrontare un parto difficile. Dalle ecografie il bambino appare tutto raggomitolato nella pancia di sua madre, legato dal cordone ombelicale come un salsicciotto.

Il marito di sua figlia, impiegato all'Alitalia, è sempre in viaggio. In casa c'è una ragazza del Paraguay ma le cose da fare sono tante e il tempo sempre troppo corto.

Eppure, mentre Teresa dorme e i due figli piccoli sono fuori con la tata, ha trovato il tempo per una passeggiata.

I piedi la portano con leggerezza, una delicata brezza le fa fluttuare la gonna attorno alle ginocchia. Il cielo è di un azzurro cristallino, quasi un vetro luccicante attraverso cui filtra un sole placido e mite. Mara Grado tira un lungo respiro: è da tanto che non si sente così libera e serena, le difficoltà professionali diventate piccole e insignificanti al di là di milioni di onde marine, sola in una città sconosciuta fra gente che parla una lingua così modulata e canterina.

Ma, ecco, davanti a lei una vetrina luminosa in cui stanno esposti decine di oggetti di agata, fra il rosa e il lilla, l'azzurro e il blu, il verde e il nero. Sono ciotole, piatti, posacenere, vasi, tartarughe, elefanti, pappagalli, tutti in pietra trasparente.

"E se prendessi un regalo per mia figlia?" si dice osservando un orciolo di agata celeste, dai cerchi concentrici blu notte.

Spinge la porta di vetro facendo tintinnare un mazzetto di tubicini di metallo. E senza guardare chi ci sia dietro al banco, indica il vasetto panciuto. Se lo trova fra le mani e mentre lo osserva, pensando che sembra proprio fatto di quel cielo che ha lasciato fuori dalla porta, sente una voce che dice «le gusta?».

Una frustata alle gambe. Il negozio luminoso viene improvvisamente invaso da masse di nuvole nere. Ma perché? cosa è che l'ha messa in allarme? la voce dell'uomo che le sta davanti, sì, deve essere quella: un leggero accento straniero, una esse trascinata, una vocale distorta. Non ha il coraggio di alzare gli occhi. Per paura di vedere quello che non vorrebbe vedere.

Qualche attimo di panico. La tentazione di uscire a precipizio senza guardare il proprietario di quella voce. E poi, la decisione coraggiosa: «lo guardo, lo guardo in faccia, devo sapere se è lui!».

Mara Grado solleva gli occhi sospettosi e incontra lo sguardo di un uomo anziano, gentile, sorridente. No, non può essere lui, pensa. E riprende a concentrarsi sull'orciolo di agata color cielo. Il cuore le sta girando in petto come una trottola. L'uomo, inconsapevole, le sta vantando le qualità di quell'agata: «pietra antica, viene dalle viscere della terra... agata muschiata si chiama, gli indiani dicono che può guarire le ferite...».

Ormai non c'è dubbio: quella voce appartiene a Hans Kurtmann, il più brutale fra le SS del campo. Mara china la testa sull'oggetto che rigira fra le mani, assorta. Anche volendo non riuscirebbe a muovere le gambe, che stanno per cedere.

L'uomo le sorride amichevole. La vede impallidire, le chiede se vuole dell'acqua. Acqua? acqua? la parola le si pianta nel cervello come un chiodo: acqua!

«No, non voglio acqua» dice Mara Grado, «può dirmi il suo nome per favore?»

Ma che domanda stupida! certamente, se sta qui, si è cambiato il nome. Ma non può nascondere quel forte accento tedesco. Adesso gli guarda le mani che sono curate, anche se rugose, con le unghie tagliate corte. Come dimenticare quelle mani?

Le immagini le salgono agli occhi, contro la sua volontà. Hans Kurtmann in uniforme da SS, i capelli sempre perfettamente lisciati e pettinati all'indietro, il collo magro e rigido. Un uomo elegante, che camminava in punta di piedi per non sporcare gli stivali con il fango del campo.

Hans Kurtmann passeggia col frustino in mano e zac, quando meno te lo aspetti, te lo lancia contro le gambe, o il petto, o la faccia. «Non hai gli zoccoli puliti, stamattina, vergogna!» Come poteva avere gli zoccoli puliti in quel pantano?

Aveva cercato di dire qualcosa, ma lui non l'aveva lasciata finire: una scudisciata le aveva interrotto la parola a metà. Il sangue era uscito copioso dalla ferita sulla bocca.

È mattina. Hans Kurtmann, ben rasato, si china su

un bambino appena sceso dal treno che ha viaggiato tre giorni e tre notti con un carico di centinaia di ebrei che, per tutto quel tempo, non hanno avuto né cibo né acqua. Il bambino è infagottato in un cappotto più grande di lui. Porta una vistosa stella gialla sul petto. Il berretto, nello scendere dal treno, gli è caduto per terra. L'ufficiale si china a raccattarlo e glielo rimette in testa. «Fa freddo, è bene che ti copri, ometto» dice e il bambino gli sorride grato. Ma una voce femminile chiama. Il bambino si volta e fa per dirigersi verso la giovane madre. La mano nerboruta di una guardiana tira la donna verso una fila diretta alle baracche. Hans Kurtmann stringe forte la mano del bambino che ora scalcia e si divincola per raggiungere sua madre. L'uomo si accoccola accanto al bambino e gli dice con voce carezzevole che tutto è a posto, la sua mamma tornerà fra poco, intanto lui lo accompagnerà a fare il bagno, "weine nicht... Alles ist gut" gli sussurra all'orecchio, "non piangere".

È sempre la stessa voce gentile, leggermente compìta che ora le sta spiegando le virtù di quell'agata argentina.

Hans Kurtmann dopo avere consolato il bambino, lo accompagna, sempre tenendolo per il polso, ai bagni. Gli mette un sapone in mano e lo spinge verso lo spogliatoio. Il bambino è spaventato, lui lo rassicura «weine nicht» dice, «tua madre ti aspetta, tu fai il bagno e torni, lei ti aspetta».

Ora il bambino è nudo, ha una piccola pancia prominente, le orecchie a sventola, le spalle magre, il collo sparuto e sporco. Hans Kurtmann lo riprende per mano e lo porta fin dentro la sala-docce. Dietro di loro una valanga di corpi, centinaia di bambini polacchi, tedeschi, olandesi, francesi. La porta si chiude su quelle spallucce nude, su quei pugni chiusi attorno al sapone ingannatore. Anziché acqua, dalle bocchette sporgenti dalle pareti scenderà presto il gas Zyclon B che li ucciderà tutti in pochi minuti fra urla, gemiti, vomiti dalle gole soffocate.

Hans Kurtmann, con la stessa ossequiosa gentilezza, compiva il suo "dovere" di soldato, sia che si dedicasse alle interminabili procedure dell'appello all'aria aperta, sia che scudisciasse a sangue un internato, sia che consolasse un bambino poco prima di mandarlo alla camera a gas.

Mara Grado aveva allora quindici anni. Si era salvata perché di costituzione robusta. Appena arrivata l'avevano messa a lavorare in una fabbrica di munizioni. Era stata presa tardi, nel novembre del '44, tradita da un amico che aveva fatto la spia sul suo nascondiglio di Torino. I tedeschi avevano talmente bisogno di mano d'opera che rimandavano ormai lo sterminio completo degli ebrei a dopo la "vittoria".

«Signora, si sente male?» dice la voce cortese, un poco preoccupata, dell'uomo dietro il banco.

«Hans Kurtmann» dice Mara Grado in un bisbiglio ed è presa dal panico. E se ora mi uccide? se mi prende a calci? se afferra il frustino e me lo sbatte in faccia?

L'uomo è sbiancato. Ma subito si irrigidisce e ripete con voce educata «io mi chiamo Georgy Ricciotto. Sono tirolese. Chi cerca, lei?».

«Hans Kurtmann sei tu, ti ho riconosciuto. Non mi fai paura. Non mi fai paura.»

«Signora, lei si sbaglia. Io sono Georgy Ricciotto.»

«Sei tu, sei tu, ho riconosciuto la tua voce, le tue mani. Mi ricordo ancora quel giorno in cui ti sei chinato sul bambino, appena arrivato da Amsterdam. Gli hai chiesto il nome e lui ha risposto sorridendo: "Hans". "Come me", hai detto. E l'hai portato per mano verso le docce.»

«Lei si sbaglia, signora» ripete lui monotono, cercando di convincere più se stesso che lei.

«Ricordo un giorno che la mia amica Marlene si è sentita male durante un appello e si è lasciata scivolare per terra e tu le hai ordinato di alzarsi. Lei non ce l'ha fatta e tu le hai sparato un colpo in testa. Ti ricordi come muoveva le gambe? non riusciva a morire. E tu non hai voluto nemmeno sprecare una seconda pallottola. Hai continuato l'appello mentre lei agonizzava lì per terra davanti a tutti noi terrorizzati e infreddoliti. Era l'unica amica che avevo là dentro. Aveva quindici anni come me. E l'hai uccisa. E ora stai qui, come un qualsiasi pacifico cittadino a godere dei tuoi risparmi...»

«Signora, le garantisco che...» riprende lui paziente.

«È inutile che fai la commedia con me, Hans Kurtmann, anche se fossero passati mille anni ti riconoscerei.»

Ora mi ammazza, ora si butta su di me e mi ammazza di botte, diceva l'altra Mara Grado, quella che ancora continuava in qualche parte della sua testa a camminare strascicando gli zoccoli pesanti di fango nella neve sporca del campo, in quel novembre del '44.

Aveva fatto di tutto per dimenticare o per lo meno per non farsi divorare da quel sinistro passato. Si era sposata, aveva messo al mondo due figli, aveva trovato un lavoro, aveva avuto delle soddisfazioni, ora si apprestava ad accudire il figlio della figlia, nel normale ricambio delle generazioni.

Ma quest'uomo adesso le sconvolge ogni ordine interiore: la calma è svanita, il ricordo si fa drago nella sua anima, si fa lupo e la insegue impietoso.

L'uomo si è chiuso in un silenzio offeso. Recita la parte di chi ha davanti un pazzo e non sa che pesci pigliare. Spalanca le braccia, sbarra gli occhi, e soffia come a dire "ma guarda che mi capita stamattina!".

Mara Grado solleva la manica sul braccio e gli mostra un numero, il suo: 4448327. L'uomo ha un sussulto. Come se solo la vista del tatuaggio avesse dato a quella inaspettata visitatrice una consistenza storica, una riconoscibilità reale.

«Forse una volta sono stato quell'uomo» gli sente dire con voce fioca e mortificata, «ma adesso non più... Le persone cambiano, si trasformano. La vecchiaia si è impossessata di me, cara signora, anzi cara reduce di Auschwitz, come si è impossessata di lei. Perché si trova qui? perché la sua vita si interseca con la mia? cosa c'è di comune fra di noi salvo quel lontano e ormai morto ricordo di guerra?»

Cerimonioso come sempre le offre una sedia che lei disdegna. "Ha cambiato tecnica" si dice, "ora vuole infinocchiarmi."

«Io non sono più Hans Kurtmann. Quel giovane è morto e sepolto. Ora sono Georgy Ricciotto. Questo nome, anche se inventato, mi sta a pennello, ormai è mio, mi appartiene, è diventato carne della mia carne. Perché non cerca di dimenticare anche lei? Certamente ha una vita felice, lo si vede dalla sua faccia serena. Perché vuole rovinare tutto con una denuncia stupida e insensata?»

Mara Grado non ha parlato di denuncia ma evidentemente lui le attribuisce questa intenzione. Sì, lo denuncerà, pensa, ma a chi?

«D'altronde le garantisco che anche se le credessero non potrebbero prendermi. Io domani scomparirò come sono scomparso altre volte. E lei non ci guadagnerà niente. Avrà solo impedito ad un povero vecchio di viversi in pace gli ultimi anni della vita.»

«Io invece ti troverò, Hans Kurtmann, perché voglio che tu sia punito, anche se in ritardo, non importa. Ti abbiamo tanto cercato nel dopoguerra. Qualcuno diceva che tu eri morto. E invece ti nascondevi qui. Io non voglio la tua morte, Hans Kurtmann, io voglio che tu stia chiuso in galera, a meditare sul tuo passato criminale.»

«Perché questo accanimento? non ha un po' di pietà? non sa perdonare ad un povero vecchio malato? Mi rimangono pochi anni di vita, sono già stato operato due volte per un cancro. Perché vuole dare questo dolore ai miei figli che non sono colpevoli di nulla?»

«Era forse colpevole di qualcosa quel bambino olandese che hai accompagnato, mano nella mano, alla camera a gas?»

«Era il mio dovere, la guerra ci costringeva a difenderci.»

«Difendervi da cosa? dai bambini?»

«Difenderci dall'aggressione comunista.»

«Quindi l'ufficiale Hans Kurtmann è invecchiato, ha cambiato nome, ha cambiato paese, ha cambiato lingua, ha cambiato mestiere, e non ha imparato proprio niente, nemmeno a dirsi la verità una volta tanto invece di riempirsi la bocca di formule mistificatorie?»

«Ho imparato a starmene per i fatti miei. Non disturbo nessuno; le mie idee le tengo per me. I miei ricordi anche. Lei non può venire qui a distruggere tutto per una stupida voglia di vendetta.»

«Se almeno avessi usato una volta la parola "dispiacere"...»

«E di che dovrei dispiacermi? a ciascuno il suo destino. Vada pure a denunciarmi se vuole. Tanto nella polizia e nell'esercito molti la pensano come me. Vada, e mi lasci in pace.»

Mara Grado sente le lagrime salirle agli occhi.

Una pietà orribile per sé, per quel bambino che si chiamava Hans, per questo uomo stupido e arrogante le stringe il cuore in una morsa. Non ci sono parole possibili fra carnefici e vittime, pensa, anche dopo cinquanta anni di vita.

Raccoglie la saliva in bocca e lancia contro il vecchio nazista uno sputo pieno di disprezzo, poi si avvia, dignitosa, verso la porta.

Oggi è oggi è oggi

13 agosto. Pomeriggio. Armida Loli è sola in redazione. Il mucchio di carte davanti a lei sembra lievitare nel calore del dopopranzo. Giornali, telefoni, fax e una piuma iridata, dimenticata chissà da chi. Come mai Giorgetti non arriva? Manzi è in ferie, Casini è malato, il direttore non si vede. "Il giornale è il giornale è il giornale", scrive su un foglio pieno di cifre. E poi accanto "oggi è oggi è oggi". La sua mano si muove lenta e accaldata. "Omaggio a Gertrude Stein." Il caldo ha seccato le foglie del ficus. Anche le labbra sono screpolate, amen. La più giovane della redazione, l'ultima assunta, "stare al chiodo, stare al chiodo, stare al chiodo". In questa stanza si bolle. Non c'è aria.

È un giornale povero, il suo; stampa appena ventimila copie ma non per questo c'è da riposare. È il pomeriggio di agosto che ha cacciato tutti: "se la sono squagliata". E se scendesse anche lei a prendere un gelato? Intanto le parole sullo schermo continuano a scorrere. L'ANSA gracchia nel sottofondo dei suoi pensieri agostani. «La Liguria è in fiamme. Trecento ettari di bosco andati in fumo.» «La Sardegna prende fuoco» insiste la ADNKronos. «La costa laziale in cenere, non ci sono abbastanza Canadair.» «Il cinque per cento degli incendi sono dovuti a combustione» spiega una vocetta assennata, «il venticinque per cento è dovuto a incuria: cicche gettate dal finestrino, fuochi accesi per bruciare erbacce che poi scappano di mano. Il settanta per cento è doloso.» Armida cerca di immaginare la mano di un giovanotto in canottiera che immerge uno straccio nella benzina – una tanica o una bottiglia di vino vuota? – è così facile sfuggire a occhi indiscreti lungo una strada vuota in un pomeriggio di agosto.

"Un cadavere femminile trovato sul greto del Tevere, in località Maresca, presso Settevene." Ecco una notizia per il suo giornale che si nutre di cronaca locale. Armida tira su il telefono e chiama l'ANSA. La ragazza uccisa si chiamava Marinella S. Era venuta a Roma per visitare il Vaticano. "Sperava di vedere il papa, anche di lontano, così aveva detto alla madre. Non si sa come sia finita a Settevene né perché sia stata uccisa."

Arriva Giorgetti, trafelato, con un sacchetto di prugne fresche. «Ne vuoi una?»

Armida Loli gli mette in mano la pagina già pronta con l'articolo sugli incendi: «vado a Settevene, ciao». «A fare che, Armida? lo sai che qui c'è bisogno di qualcuno che risponda al telefono.»

«Ciao.»

«Aspetta!»

Ma Armida è già sulle scale e salta di gradino in gradino per non essere costretta a tornare indietro. Monta sulla sua Polo verde bottiglia e parte verso Settevene, a pochi chilometri dal giornale. Lì trova la polizia e i fotografi che calpestano il terreno argilloso del lungofiume, mentre il cadavere viene trasportato, a sirene urlanti, verso l'ospedale più vicino.

Fra le canne si può scorgere l'impronta del corpo della ragazza. «È stata uccisa una decina di ore fa, lo si vede dai polpastrelli» dice un poliziotto dalla divisa macchiata di sudore.

Intorno, una desolazione: fango indurito alla superficie dal sole, bottiglie vuote, brandelli di plastica appesi ai rami, una barca di legno sfondata che marcisce sul greto, erbe secche coperte di insetti, impronte di scarpe che si sovrappongono le une sulle altre.

La scientifica sta prendendo le fotografie delle impronte, misurandole e catalogandole: «non ci sono tracce di ruote di auto. Segno che sono venuti a piedi. Vede, questa è argilla pura, tutto vi rimane impresso. Solo che sono tante le tracce, troppe. Si tratta di stabilire quali sono le più recenti».

«Come è morta?»

«Colpita alla testa. Forse con una pietra. Ma qui intorno non abbiamo trovato pietre che possano essere servite come arma.»

«Dove l'hanno portata?»

«Al San Cristoforo. Per l'autopsia. Se ci va subito la trova ancora intera.»

Armida Loli mette in moto e si dirige verso l'ospedale che non è lontano dalla redazione. Una suora gentile l'accompagna per i corridoi sotterranei, verso la camera mortuaria. Insieme attraversano gallerie desolate dove regna il disordine e l'abbandono: letti rotti appoggiati contro le pareti sporche, sacchi di immondizia addossati gli uni agli altri da cui proviene odore di marcio, carrelli senza ruote e barelle arrugginite che giacciono in un angolo, impolverati.

La suora si ferma davanti ad una spessa porta di ferro. Infila la chiave nella toppa. Apre. Dentro, la temperatura è bassa. Due barelle su ruote stanno in mezzo alla stanza, con due corpi distesi coperti da un telo cerato bianco sporco.

La suora solleva il telo rigido sulla barella più vicina alla porta e mostra la faccia di una ragazza che sembra dormire pacificamente. Tratti delicati, dolci, una leggerissima piega sulla fronte come se si stesse chiedendo il perché di tutto questo, ma senza rabbia o rancore. Ha i capelli castani appiccicati alle guance, gli occhi aperti che sembrano scrutare proprio lei, con il sereno disinteresse dei morti.

Sul collo le brilla una catenina sottile a cui è appesa una croce d'oro macchiata di sangue. Non si tratta di un oggetto stilizzato ma di una minuscola scultura in cui si distinguono i nodi del legno, il corpo di Cristo piagato, coperto solo da un minuscolo panno ai lombi, le braccia tese, le mani inchiodate.

È la prima volta che Armida Loli vede un cadavere. Si sforza di rimanere serena mentre gli occhi si ritraggono spaventati. Aveva sempre pensato che la pietà fosse un sentimento pio e discreto. Quella che le sta scuotendo le viscere ora, invece, è una tempesta da cui non sa come ripararsi.

Chi può averla conciata a quel modo? Sopra l'orecchio destro si intravvede una lacerazione profonda dai bordi neri di sangue rappreso. Sul collo, delle ecchimosi violacee; sulle spalle, bruciature di sigaretta, tonde e rossastre.

Una ragazza di vent'anni più o meno, dai bei capelli bruni e il collo delicato, bianco. Un corpo muto e privo di futuro. Quegli occhi aperti, chiari, quella bocca socchiusa sembrano essere stati interrotti durante un discorso d'amore.

La suora si avvicina ad Armida con passi silenziosi. Osserva il suo pallore, il suo respiro affannato e le dà un piccolo colpo affettuoso sulla spalla.

«È una sua parente?»

«No.»

«Fa pena, povera ragazza, così giovane. Ci sono il padre e il fratello là fuori, vuole vederli? Dicono che aveva diciannove anni. L'ultima di sei figli. Sono poveri, vengono da Salerno. È partita domenica mattina col treno, per andare a visitare il Vaticano, sperando di vedere il papa. Era molto pia, dicono, voleva farsi benedire un rosario. Sarebbe dovuta andare a dormire dalla zia, ma non si è vista. E ora eccola qui...»

«Non sembra che mi guardi, suora?»

«Guarda il cielo, dove andrà.»

«Ma quanto ci mette ad arrivare? è morta ieri sera.»

«Era religiosa, ci arriverà presto.»

« Ha una espressione tranquilla.»

«Sì, una ragazza affettuosa.»

«Chi l'avrà uccisa?»

«Solo Dio lo sa. Non è dato vedere gli orrori della notte.»

«Io spero che troveranno il colpevole.»

«E dopo che l'hanno trovato?»

«Quando gliela fanno l'autopsia?»

«E chi lo sa! Il medico legale è andato in ferie e non c'è nessuno che lo sostituisca.»

«Vuole dire che se il medico legale va in ferie non si può fare l'autopsia?»

«Per dieci giorni niente. Si chiude tutto. Aveva un sostituto, il dottor Trionfi, ma si è rotto una gamba e ora siamo rimasti con uno solo. D'altronde anche lui ha il diritto di andare in ferie: si è appena sposato e ha un bambino di due mesi.»

Armida Loli saluta la suora gentile e si dirige verso il centro. La tempesta si è placata ma ha lasciato alberi divelti e strade allagate. Quanto tempo ci vorrà per rimettere a posto il paesaggio dei suoi pensieri? intanto, perché non telefonare alla commissaria Adele Sòfia? sa che la sua voce morbida e razionale la aiuterà a ritrovare la pace.

«Ha saputo della ragazza morta a Settevene?»

«Sì, mi hanno portato le carte stamattina.»

«Sono stata a vederla. Ha un terribile squarcio alla testa; e delle bruciature di sigaretta sul corpo. Ma non ha l'aria spaventata. Solo sorpresa. Avete scoperto qualcosa?»

«Abbiamo due testimonianze telefoniche. Raccontano di un uomo dai pantaloni neri sdruciti e le scarpe da tennis bianche. Dicono che parlava con lei fitto fitto in treno.»

«Come fanno a sapere che era lei visto che ancora i giornali non ne hanno parlato?»

«L'hanno detto al telegiornale e hanno mostrato la fotografia della carta d'identità. Giacchina celeste e croce d'oro al collo.»

«Se ha qualche novità, me lo fa sapere? Io domattina torno a Settevene.»

«Anch'io ci vado. Alle otto, va bene?»

La mattina dopo, alle otto, Armida Loli e Adele Sòfia si incontrano vicino al ciuffo di canne dove è stato trovato il corpo di Marinella S.

Adele Sòfia sta masticando una delle sue solite liquorizie alla menta. «Ne vuole una?»

«No, grazie.»

Ha qualcosa di matronale e di bambinesco insieme la commissaria: si dirige a passi sicuri verso il greto del fiume. Porta scarpe basse, comode, una gonna grigia che si allarga sotto il ginocchio, una camicetta bianca che le illumina il volto. Non si può dire che sia bella nel senso convenzionale del termine, ma si rimane colpiti davanti a quella faccia severa e chiara su cui spiccano due grandi occhi scintillanti e un naso imperioso.

«C'è qualche novità?»

«Di notte cosa vuole che succeda... Dormono persino quando si tratta di pericolosi delinquenti; figuriamoci di fronte ad un caso banale come questo.»

«Perché banale?»

«Perché ne succedono tanti: una ragazza imprudente, un delinquente di passaggio... Ma lo troveremo, vedrà.»

«Sono stati interrogati i viaggiatori che erano con lei in treno?»

«Finora, di certo abbiamo solo delle impronte di scarpe numero quarantacinque. Quindi un uomo alto, forse anche massiccio.»

«E che altro?»

«I compagni di scompartimento parlano di un uomo dai capelli biondicci, la pelle abbronzata, gli occhi chiari, infossati. Accento veneto, secondo la signora che gli sedeva accanto, accento emiliano secondo il vecchio che fingeva di dormire e ascoltava tutto.»

«E che dicevano, visto che ha ascoltato tutto?»

«Non ricorda bene... L'ho sentito per telefono stamattina, ma oggi lo vedrò di persona. Una curiosità senza memoria, la sua. Comunque dice che l'uomo in scarpe da tennis le parlava d'amore... E lei sembrava contenta.»

«Mi raccomando, se viene a sapere qualcosa di nuovo, mi avverta.»

Al giornale, il direttore la sta aspettando impaziente.

«Allora Loli, che succede? lo sa che dobbiamo chiudere il giornale e non abbiamo niente di nuovo da scrivere?»

«Sono stata a Settevene. Ho visto il corpo. Posso descriverlo, se vuole; posso parlare della suora che mi ha accompagnata. A me sembrava che la morta guardasse dalla mia parte. La suora sosteneva invece che guardava il cielo dove si trasferirà fra poco.»

«Questo è folclore, Loli. Non mi interessa. Voglio fatti, fatti e storie drammatiche. Come è stata ammazzata?»

«Con un oggetto contundente, come si suol dire.»

«Che cosa?»

«Una pietra probabilmente. Ma non è stata trovata.»

«Ci sono sospetti?»

«Per ora solo un indizio: un uomo che parlava con lei in treno ed è stato visto da più persone... La ragazza veniva a Roma da Salerno per andare dal papa. Era un suo sogno di bambina. Ma in Vaticano non ci è arrivata. Neanche la zia che doveva alloggiarla l'ha vista.»

«Ecco, queste cose le racconti. E racconti nei particolari come è stata uccisa. E riporti il referto medico e si faccia dare il testo dell'autopsia. Voglio qualcosa di raccapricciante ma anche di sorprendente. Era bella la ragazza?»

«Non proprio. Una faccia dolce, distesa, ma non regolare: gli occhi troppo vicini, le guance magre, la bocca dalle labbra sottili.»

«E lei scriva che era bellissima. Una morte violenta si addice alle donne belle e misteriose. Che ci veniva a fare da sola a Roma in treno? aveva un incontro segreto? chi l'aspettava?»

«Era venuta per vedere il papa.»

«Una ragazza di diciannove anni, ma andiamo! Lei non conosce i ragazzi di oggi, Loli, pensano solo a ballare e scopare e prendere droga.»

«Io ho solo quattro anni più di lei, e non mi sembra di...»

«Lasci stare, Loli. Ascolti quello che le dico io, ne so certamente più di lei; potrei essere suo padre. E ora torni a Settevene a cercare altri elementi di effetto.»

Così Armida Loli rimonta nella sua Polo verde bottiglia e torna a Settevene, al canneto, alle tracce sull'argilla cercando notizie, particolari per il giornale. Ora i poliziotti se ne sono andati. Hanno lasciato nastri rossi e bianchi attaccati a paletti di ferro infilzati nel terreno.

Quante impronte, vecchie e nuove su quell'argilla molle. È davvero difficile isolare quelle di un paio di scarpe da tennis numero quarantacinque!

Eppure, facendo uno sforzo, Armida riesce a rintracciarle. La cosa curiosa è che non si dirigono verso la strada ma verso il fiume. Proprio lì dove appaiono dei sassi lisci e grigi, dove gli arbusti scoperti dal ritirarsi dell'acqua protendono in alto i loro rametti secchi su cui sventolano brandelli di plastica sporca come bandiere di un esercito in rotta.

E se l'uomo con la ragazza fossero approdati a questo

greto con una imbarcazione? Non può trattarsi di quel vecchio scafo che giace lì vicino, senza fondo e senza prua. Ma se ce ne fosse un'altra, di barca, nascosta da qualche parte?

Armida si incammina lungo il fiume affondando con le scarpe nell'argilla, mentre spunzoni di canne e di erba secca le strusciano, pungendola, le caviglie. Il suo passo cauto fa sollevare centinaia di minuscoli grilli color fango che urtano ciechi contro le sue gambe.

Una zona abbandonata, su cui i cittadini non si avventurano, proprio per quell'affondare nell'argilla molle e per il tanfo di roba che marcisce al sole. Camminare diventa sempre più difficile a mano a mano che avanza. Ma è come se quella tempesta che l'aveva assalita nel guardare la ragazza seviziata la spingesse ora ad avanzare, nonostante il caldo, nonostante le mosche, nonostante l'odore ripugnante.

Sollevando un piede, Armida se lo ritrova nudo. La scarpa è stata risucchiata dall'argilla. Così è costretta a fermarsi, ripescare la scarpa, ripulirla, rimettersela e continuare faticosamente il cammino fra le canne, che ora si fanno fitte, e i rovi che a tratti chiudono quasi completamente l'accesso al fiume.

Dietro un groviglio di salici e di ginepri ecco che le si para davanti improvvisamente una capanna fatta di assi annerite, col tetto di bandone, una finestrella inchiodata accanto alla porta chiusa.

Armida prova a girare la maniglia di legno che subito cede lasciando intravvedere un interno scuro. Da quella oscurità le giunge una zaffata di muffa e di pece. L'unica è fare luce. Nella sua borsa non c'è traccia di fiammiferi, eppure un accendino doveva esserci. E infatti eccolo. Armida lo accende, spinge in alto il braccio e si guarda intorno. Di fronte a lei una branda unta e sporca con sopra un materasso bucherellato da quelle che sembrano bruciature di sigaretta. Per terra una bacinella vuota. Addossato alla parete destra un tavolino fatto con una porta di legno tarlato sostenuta da due pile di mattoni. Sopra il tavolo, una tazza sporca di caffè e un coltello da pane. Insomma una baracca per pescatori della domenica che vengono sul Tevere a prendere qualche luccio e qualche tinca. La sola cosa insolita e strana è quel materasso con i buchi delle sigarette; il solo legame forse, con il corpo di Marinella S.

Armida è presa improvvisamente da una paura insensata e priva di ragione. L'istinto le suggerisce di scappare. Ma ancora una volta è l'immagine della ragazza straziata sul lettino dell'obitorio a tenerla inchiodata su quella soglia. Cosa cerca in quell'oscurità maleodorante? non lo sa nemmeno lei; pure continua a guardare e a prendere nota di ogni particolare. Con la coda dell'occhio intravvede qualcosa che attira la sua attenzione: una corda arrotolata la cui cima trattiene una rudimentale àncora di ferro rugginoso.

Determinata a continuare la ricerca, nonostante la paura e la inquietante impressione di essere osservata, Armida prende a girare intorno alla capanna, graffiandosi le braccia e le gambe fra gli arbusti spinosi.

Ad una decina di metri dalla capanna i suoi occhi si posano su qualcosa che luccica in mezzo a quel verde selvatico e immobile. Cerca di avvicinarsi ancora di più e finalmente scorge una piccola imbarcazione di plastica dalla prua a punta sepolta in mezzo alle erbe alte, alle canne e ai rovi. A prima vista sembra una iole. Ma poi, guardandola meglio, scopre che si tratta di una barchetta fatta a stampo, per fondali bassi, senza carena, con la punta rivestita in metallo dorato che imita la prua elegante delle gondole veneziane.

Armida prova ad avvicinarsi il più possibile per vedere se dentro lo scafo ci sia qualcosa da annotare. Ma non vede niente salvo due remi adagiati lungo il fondo, legati insieme con uno spago giallo.

«Una barca è una barca è una barca.» Le sue labbra si muovono frettolose, come se recitassero uno scongiuro. Lungo la schiena sente il sudore che si incolla alla camicia.

A passi rapidi, con le scarpe in mano, i piedi sempre più incrostati di fango, le caviglie e i polpacci coperti di tagli, Armida si avvia verso la sua Polo voltandosi indietro ogni tanto a guardare se per caso qualcuno la segua.

«Ho trovato una barca, ancorata a circa cinquecento metri dal posto del delitto. Bisognerebbe prenderla ed esaminarla. Era nascosta bene.»

«Perché pensa che la barca sia importante per il nostro caso?»

«Perché le impronte delle scarpe da tennis non portano verso la strada ma verso l'acqua. Ho pensato subito ad una barca.»

«Lei è giovane, Armida Loli, ma ha già le idee chiare. Dovrebbe fare la poliziotta anziché la giornalista. Rimanga lì che le mando due agenti.»

«Ma io sto andando al giornale. Sono già a metà strada.»

«Mi sta chiamando col cellulare?»

«Ma sì; ho trovato anche una capanna con la finestra inchiodata. E dentro c'è un lettino con sopra un materasso coperto di buchi fatti da sigarette.»

«Mando subito a vedere. Verso la foce o verso la sorgente?»

«Verso nord.»

Quando i poliziotti arrivano fra le canne però non trovano più la barca. È sparita. Tanto che pensano ad una fantasia di Armida Loli, la troppo giovane e intraprendente giornalista del *Roma-città*, il giornale della cronaca cittadina.

«Non sarebbe la prima volta che voi giornalisti inventate le cose per farvi leggere.»

«Intanto io non sono "voi giornalisti" ma una precisa giornalista con nome e cognome. E poi la barca l'ho vista. Potrei descriverla pezzo per pezzo.»

«Com'è che è sparita in mezz'ora?»

«Probabilmente qualcuno mi stava spiando mentre entravo nella capanna e mentre cercavo la barca.»

«Insomma ha corso un pericolo stupido e grave... perché non ci ha chiamati prima? saremmo venuti con lei e ora non staremmo a spremerci il cervello senza barca e senza indizi.»

«Ma c'è il materasso; l'avete trovato il materasso?»

«Quale materasso? non c'era niente nella baracca. Solo una bacinella vuota e un tavolino sostenuto da mattoni.»

«Si è portato via tutto, in mezz'ora, come avrà fatto?»

«Sto tornando a Settevene. Lei viene?»

«Vengo.»

«Fra un'ora lì, allora.»

Armida utilizza quell'ora per scrivere il pezzo per il giornale. Nell'articolo racconta della famiglia di Marinella S., dei fratelli, del padre che fa il calzolaio e della madre che è casalinga ed ha sentito al telefono la mattina, della adorazione per il papa. Della scuola che frequentava: l'Istituto tecnico Enrico Monti dove, con un ritardo di due anni, Marinella S. stava per prendere la maturità.

La storia della barca e del materasso invece l'ha taciuta. Gliel'ha chiesto la commissaria Adele Sòfia di tenerla per sé: «già me lo vedo uno sciame di fannulloni che si accalcano sul fiume per vedere di persona dove ha agito il "mostro"».

Alle tre si ritrovano, la commissaria e Armida Loli, sul greto del Tevere, nella zona di Settevene. Insieme si incamminano lungo il fiume, seguite a distanza da due agenti. Tutto sembra immobile e inerte sotto il sole a picco. Perfino le mosche dormono incollate alle foglie secche. Solo l'acqua scorre placida, leggera, producendo un piccolo fruscio misterioso.

La capanna è ancora lì, con la porta spalancata come l'ha lasciata lei. Ma dentro, Armida se ne accorge al primo sguardo, tutto è stato manomesso. Qualcuno ha fatto sparire la branda, il materasso bucherellato, il coltello da pane e perfino la tazza sporca di caffè. È rimasto solo il tavolo fatto con una porta e sorretto da due pile di mattoni.

«Mancano molte cose. Qualcuno ci ha messo le mani appena mi sono allontanata.»

«Ha parlato di un coltello?»

«Sì, ma con la punta tonda, da pane. Con quello mi

sembra difficile uccidere qualcuno. E poi non avete detto che è stata colpita con una pietra?»

«E la barca dove stava?»

«Qui dietro, venga.»

Armida Loli conduce la commissaria in mezzo al canneto, fra le alte ortiche e i cespugli di more. Ma la barca non c'è, come hanno già constatato i poliziotti mandati lì la mattina. Ci sono però delle impronte intorno, e sembrano proprio quelle di un paio di scarpe da ginnastica, numero quarantacinque.

«E adesso dove andiamo?»

La commissaria si incammina decisa verso la strada. «Andiamo alla discarica più vicina. La conosco, sta a due chilometri da qui.»

La discarica è una discesa brulla e arida su cui si ammucchiano i rifiuti che marciscono sotto il sole. Dei gabbiani dalle ali gigantesche volano bassi, planano, si gettano a picco su qualche pezzo di cibo.

Le due donne si aggirano fra i resti cercando di non farsi sopraffare dall'acuto e ripugnante odore di putrefazione. Del materasso non ci sono tracce. Solo quando stanno per andare via Adele Sòfia nota un ricciolo di fumo azzurro che sale da un mucchietto scuro. «È fuoco recente, andiamo a vedere.»

E difatti, in mezzo a dei vecchi bidoni di plastica, Armida riconosce i bordi del materasso che ha già visto nella capanna, di un celeste scolorito, con le tracce dei buchi di sigaretta.

«Proviamo a buttarci sopra della terra, non è del tutto bruciato.»

Con un secchio dal manico rotto Armida Loli si affretta a rovesciare della terra nera sul crine e sul tessuto ormai quasi del tutto ridotti in cenere.

In questo modo riescono a portarsi via un pezzo del materasso, grande quanto un libro, ma con le tracce visibili delle bruciature di sigaretta. Intanto arriva una telefonata dalla capanna: l'agente ha trovato per terra un paio di calze da donna.

«Le metta in un sacco, per la scientifica.»

Il giorno dopo, sui giornali appare la notizia della scoperta della capanna e della barca. Armida, che ha tenuto fede alla promessa fatta alla commissaria Sòfia è rimasta "buggerata" come le rimprovera il direttore a voce alta: «adesso siamo gli ultimi a dare le notizie importanti su un caso che abbiamo approfondito come nessun altro. È nostro questo caso, Loli, e lei se lo fa scippare, ma cosa ha nel cervello?».

Un giornale della sera dà come certo che la ragazza sia stata uccisa da uno zingaro che abita in un accampamento vicino al luogo del delitto. Lo zingaro è stato visto sul greto del Tevere nel pomeriggio fatale. Il direttore spedisce immediatamente la sua più giovane cronista al campo degli zingari. Che si trova vicino al greto del fiume, non lontano da dove è stato trovato il cadavere.

Dentro il campo, Armida si trova in mezzo ad una trentina di roulotte dal tetto bianco irto di antenne della televisione. Alcune di queste case mobili hanno davanti un terrazzino fatto di assi disuguali poggiate su pile di mattoni, proprio come il tavolino della capanna sul fiume.

Il pavimento dei terrazzini è coperto di cartoni sovrapposti, e sopra i cartoni sono adagiati dei cuscini colorati. E lì sopra, come se si trovassero su un comodo canapè, due donne vestite chiassosamente si tengono per mano e ridono. Hanno le dita cariche di anelli e i capelli lunghi sulle spalle.

Non lontano da loro due giovani uomini dal petto nudo si aggirano in pantaloncini corti tenendo in mano seghe e martelli. A piedi nudi, una decina di bambini giocano con una palla fatta di stracci.

Armida getta lo sguardo sulle scarpe dei due uomini: uno porta dei sandali che però non sembrano raggiungere il quarantacinque, l'altro ha indosso delle babbucce arabe dalla punta volta in alto e il calcagno scoperto.

«Qualcuno di voi ha una barca?»

«Una barca? niente barca, niente pesca, niente, niente.»

Armida prende i nomi dei presenti, fa delle fotografie con la piccola automatica, interroga donne e bambini con l'aria di chiacchierare del più e del meno. Gli zingari rispondono ma in modo evasivo: non hanno visto niente, non sanno niente, non hanno mai notato una barca da quelle parti né un uomo alto, biondiccio con gli occhi infossati.

Il giorno dopo la commissaria le comunica per telefono il risultato dell'autopsia: Marinella S. è stata uccisa con una pietra che le ha fracassato le ossa del cranio. La morte risale alle ore ventidue, quindi prima di quello che si era pensato, della domenica dodici agosto. È stata seviziata: sulle spalle e sul petto porta i segni delle bruciature di sigaretta.

Per fortuna nel pezzo di materasso salvato ne sono rimaste delle tracce carbonizzate. Da quelle e dalla cenere ritrovata i tecnici sono riusciti a risalire al tipo di sigaretta utilizzato: Marlboro senza filtro.

Adele Sòfia manda i suoi uomini ad interrogare i tabaccai di Settevene. E dopo una giornata di ricerche vengono fuori diversi nomi di uomini che comprano regolarmente sigarette Marlboro senza filtro: un certo Panzera che fa il commerciante di biancheria per signora; un non meglio identificato Carlo; il dottor Rubini, medico specialista in malattie veneree e Umberto Malnati, un commerciante di frutta secca.

Armida si fa dare l'indirizzo del primo della lista, Panzera e va a trovarlo.

«Non voglio giornalisti, raccontano solo balle» comincia l'uomo aprendole la porta a metà, seccato e astioso. Armida gli spiega che il giornale desidera solo fargli qualche domanda, che se non vuole passare per uno dei sospettati come è stato scritto su tutti i quotidiani, farà bene a rispondere.

Infine lo convince e lui si fa da parte per lasciarla entrare.

«Insomma, cosa vuole sapere?»

«È da molto che fuma le Marlboro senza filtro?»

«Saranno dieci anni, perché?»

«Pare che l'assassino di Marinella S. fumasse le stesse sigarette.»

« A me che me ne importa?»

«Lei è mai stato a Salerno?»

«A Salerno? sì, qualche tempo fa.»

«Il dodici agosto ha preso un treno da Salerno per Roma?»

«Ma no. Il dodici agosto ero in Piemonte, da mia madre che è malata.»

«Lei va qualche volta a pesca?»

«Sì, qualche volta.»

«Possiede un capanno sul greto del Tevere?»

«Un capanno? io? ma neanche per sogno. L'ho letto sul giornale del capanno e delle torture, ma io non l'ho mai visto questo capanno. E ora basta. Lei non ha nessun diritto di farmi domande.»

E con queste parole scortesi la riaccompagna alla porta, chiudendola dietro di lei con energia.

Intanto la commissaria Adele Sòfia ha analizzato tutti i dati sull'elaboratore per scoprire se esiste un Carlo che sia già stato imputato in qualche processo. Trova un Carlo Della Pace, marinaio, accusato più volte di molestie sessuali.

«Sono della polizia, mi può dire dove stava la notte di domenica dodici agosto?»

«Ma non è la notte in cui è stata ammazzata quella poveretta?»

«Marinella S.? sì.»

«Ma perché siete venuti da me? io non l'ho mai vista.»

«Lei è stato denunciato per molestie sessuali ben tre volte da persone diverse.»

«Lo ammetto. Ho anche pagato. Ma molestia non vuol dire assassinio.»

«Vedo che ha delle canne da pesca. Ci va spesso a pesca?»

«Da qualche anno non più. Mi è nato un bambino e devo aiutare mia moglie.»

Sorride mostrando una carrozzina nuova di zecca, un poppatoio posato sul tavolo, un paio di scarpette da neonato che pendono per i lacci dalla maniglia della porta.

«Fuma Marlboro senza filtro?»

«Sì, qualche volta, ma di solito preferisco le Diana, costano meno.»

«Dove stava la notte del dodici agosto?»

«Se ricordo bene in pizzeria con amici. Vuole che li chiami?»

«Ci dia i nomi. Li controlleremo noi.»

In serata vengono interrogati gli amici della pizzeria, che confermano l'appuntamento della domenica. Anche il pizzaiolo ricorda di avere visto l'uomo della foto in sala fino all'una di notte.

«E così, anche questa pista è consumata, cara Armida. Evidentemente si tratta di un altro Carlo... Torniamo dalla tabaccaia che ci ha parlato di lui.»

Adele Sòfia e Armida Loli tornano alla tabaccheria di via dei Serpenti. Trovano la padrona che sta mangiandosi degli spaghetti al sugo dentro un contenitore di polistirolo.

«Con che frequenza veniva questo Carlo a comprare le Marlboro?»

«Non tanto spesso. Ne comprava due stecche alla volta. Forse veniva una volta al mese.»

«Quindi era un forte fumatore. Parlava mai con lei quando entrava in negozio?»

«Andava senza fretta, ma non mi ha mai detto una parola. Non ricordo la sua voce.»

«E come fa a sapere che si chiama Carlo?»

«Una volta l'ho sentito chiamare da qualcuno che lo aspettava in macchina; con me non ha mai parlato. Ma gli occhi li ricordo bene, erano d'oro.»

«E fisicamente che tipo era? lo so che ce l'ha già descritto genericamente; ma ora vorremmo più dettagli.

Abbiamo portato con noi un disegnatore per l'identikit che vogliamo diffondere sui giornali.»

«Che responsabilità! non vorrei sbagliare... be', vediamo. Era alto, direi.»

«Più o meno quanto?»

«Un metro e ottantacinque, un metro e novanta forse.»

«Magro o grasso?»

«Magro, dava l'impressione che i vestiti gli sciacquavano addosso.»

«Gambe lunghe?»

«Sì, lunghe.»

«Camminata sicura, decisa o incerta, traballante?»

«Camminava rapido, deciso, niente di traballante. Distratto, quello sì. Pensi che una volta non ha visto che avevo la porta a vetri chiusa a metà e ci è andato contro con la testa che quasi me la sfondava. Ha preso un bello spavento e gli è venuto fuori un bernoccolo grande così.»

«Occhi chiari?»

«Sì, chiari. Ma... oh Dio, eccolo!»

Le donne si voltano esterrefatte: l'uomo di cui stanno parlando si trova davanti a loro e sta chiedendo alla tabaccaia le solite due stecche di Marlboro senza filtro. È vestito di scuro, magro, come era stato descritto, trasandato nel vestire eppure elegante; non ha affatto l'aria di un delinquente abituale.

«Cercavamo proprio lei.»

«E perché, se è lecito?»

Rivolge alle due donne uno sguardo gentile, innocente. Il volto scurito dal sole ha un che di imbronciato ma non malevolo. Ha gli occhi belli, di un colore chiaro, fra il giallo e il verde, infossati sotto gli archi delle sopracciglia.

«Sono della polizia. Lei è proprietario di una capanna sul greto del Tevere?»

«Sì, ma non ci vado mai.»

«E possiede una barca di plastica, dal fondo piatto?»

«Quella è di mio cugino Mario.»

«Dove si trovava la sera di domenica dodici agosto?»

«Non ricordo. Ho la memoria corta.»

«Mi dispiace ma devo chiederle di venire in questura con me.»

«Volentieri. Tanto stamattina non ho niente da fare.»

Prende le stecche e si avvia dietro la commissaria, entrando nella macchina della polizia con gesti disinvolti come se andasse a cena in casa di amici.

Armida Loli non può seguirli perché l'aspettano al giornale. Il suo problema sarà ora: dare o non dare la notizia del nuovo indiziato? Se lo dicesse al direttore, la costringerebbe a scrivere subito un articolo per la prima pagina. Ma sarebbe come rovinare il povero uomo. Che, fra l'altro, le sembra del tutto innocente. Ma se l'uomo risultasse colpevole, verrebbe certamente cacciata dal giornale.

Nel pomeriggio ecco una telefonata di Adele Sòfia, grondante soddisfazione.

«L'abbiamo preso, Armida Loli, è lui l'assassino.»

«Come fate a esserne così certi?»

«Ha confessato.»

«Ma come è possibile? sembrava così tranquillo, avrei giurato sulla sua innocenza...»

« Gli abbiamo fatto vedere il corpo di Marinella S. ed è crollato. Dice che la ragazza si era innamorata di lui.»

«Sì, in due minuti.»

«Può succedere. Comunque l'ha seguito nella capanna sul Tevere senza preoccupazioni. Hanno fatto l'amore.

Lei voleva emozioni forti. E lui, per accontentarla, l'ha legata. Poi lei gli ha chiesto di schiacciarle la sigaretta accesa sul braccio e lui l'ha fatto.»

«E lei crede a queste scempiaggini?»

«L'erotismo è sempre stato un mistero per me. Ho visto donne che amavano farsi malmenare, persino seviziare. Potrebbe essere che questa ragazza...»

«Il fatto è che la Marinella S. è morta e non può contraddirlo. Nessuno ama farsi seviziare.»

«Ma lui dice che...»

«Mi sa che si è fatta incantare anche lei da quel bell'uomo dagli "occhi d'oro", come si era fatta incantare la povera Marinella.»

«Be', se l'intelligenza ha un fascino, certo Carlo Principe è un uomo affascinante. Fuma come un turco. Mi ha impestato la stanza. Ma parla bene, è piacevole e sembra dire la verità.»

«Anch'io sarei portata a credergli, quegli occhi hanno colpito anche me, ma proprio per questo mi sembra il caso di diffidare.»

«Be', a questo punto lo vedranno i giudici. Noi abbiamo fatto la nostra parte. Vada a preparare la prima pagina per domani. Il direttore sarà contento.»

TROVATO L'ASSASSINO DI MARINELLA S.
UN PROFESSIONISTA DI 43 ANNI, INCENSURATO.
I particolari in cronaca

I giornali si sono scatenati per spiegare il motivo del delitto: si erano conosciuti davvero in treno Marinella S. e Carlo Principe o si erano incontrati già prima senza che nessuno lo sapesse? come mai questo odio da parte dell'uomo verso una ragazza disponibile e gentile? sarà vero quello che lui sostiene, che è stata lei a chiedergli di torturarla? E giù articoli su articoli di psicologi, medici, sociologi. Qualcuno sostiene che è possibilissimo: le donne spesso vogliono, cercano il martirio. Qualcun altro mette in guardia contro gli impostori dall'aria angelica. Tutti sembrano invaghiti di quell'uomo dagli occhi d'oro, la camminata elegante, il viso sofferente e gentile.

Armida Loli vorrebbe saperne di più e pensa che la sola persona a cui rivolgersi sia proprio colui che ha compiuto il gesto gratuito.

Un giorno, due mesi dopo la condanna definitiva, telefona ad Adele Sòfia chiedendole un permesso per il carcere. Che le viene concesso, a patto che non ci scriva sopra. Lei acconsente. Parcheggia la Polo verde bottiglia davanti alla prigione. Consegna i documenti ad un agente dagli occhi spenti. Percorre lunghi corridoi senza finestre. Passa attraverso porte e cancelli inchiavardati. E infine si trova faccia a faccia con l'assassino, Carlo Principe.

«Cosa vuole da me?»

«Solo parlarle. Ho promesso alla commissaria che non scriverò niente sul mio giornale. D'altronde il direttore, una volta trovato il responsabile, ha perso ogni interesse nel caso.»

«Non ho voglia di parlare.»

«Vede, io mi sono occupata con molta passione del suo caso. Ho visto Marinella S. sul lettino dell'autopsia prima che la aprissero. Ho visto la capanna sul greto del fiume. Ho scoperto la barca fra le canne. Ho seguito la commissaria Adele Sòfia su e giù per tabaccherie e discariche. Mi è rimasta una curiosità: perché l'ha fatto? una persona come lei, con una professione, una casa, una vita piena di soddisfazioni... lei non ha niente di brutale a guardarla, niente di prevedibile. Non fa pensare ad un criminale ma ad una persona gentile e ragionevole. Perché l'ha seviziata?»

«Se le dicessi che non lo so neppure io...»

«Ma se lo sarà chiesto.»

«Certo, me lo chiedo continuamente.»

«Non mi dirà che è "la belva" in lei ad avere agito, come scrivono i giornali perché è un luogo comune e non le crederei.»

L'uomo fa una mossa aggraziata che gli rovescia una ciocca di capelli castano chiari sulla fronte, quasi a coprirgli gli occhi ambrati. Certo, se recita, lo fa molto bene, si dice Armida. Gli vede allungare le mani sul tavolo, riunire le palme come per una preghiera. C'è qualcosa di nobile nei suoi gesti che fa a pugni con la morte di Marinella S. Se non avesse confessato, si stenterebbe a crederlo colpevole.

Infine, con voce sommessa, gli occhi bassi e un che di studiatamente umile e avvilito prende a parlare con un soffio di voce.

«Sapevo di avere delle crudeltà... mi eccita procurare dolore. Ma fino a Marinella erano stati piccoli episodi: un braccio ritorto dietro la schiena, due mani strette intorno al collo... ma i miei gesti non si concludevano mai violentemente. Rimanevano a metà fra lo scherzo e il dispetto.»

«E questa volta?»

«Non lo so. Forse l'eccessiva arrendevolezza della ragazza... sembrava che cercasse la morte attraverso le mie mani.»

«Ancora insiste che l'ha voluto lei? e pensa che io le creda?»

«Non si ribellava; qualsiasi cosa le facessi, restava inerte, col sorriso sulle labbra. È questo che mi ha spinto a concludere per una volta il gesto altre volte appena accennato. Ma con amore, mi creda, con grande amore.»

«È stato l'amore che l'ha spinta a spegnere le sigarette sul suo corpo?»

«Me l'ha chiesto lei.»

«Proprio un bel teatrino!»

«Eppure è così... in realtà, lo dico per esperienza, non è possibile cancellare del tutto l'assassino che è in noi.»

«Parli per sé. Io non coltivo assassini.»

«Perché lei appartiene alla storia delle vittime. Io quella ragazza l'ho amata, anche se per poco. Se non l'avessi amata non avrei sentito il bisogno di compiere fino in fondo il mio gesto d'amore. La morte sancisce una ripetizione che va avanti in eterno. La morte è un sigillo d'amore. Io conosco quel sigillo. Per impossessarmene sto pagando quello che sto pagando. Lei non può capirmi, Armida Loli, perché lei rifiuta il suo ruolo di vittima. Lei vorrebbe entrare nelle mie scarpe!»

«Ci starei un po' scomoda nel quarantacinque, non le pare?»

«Lei, con il suo entusiasmo emancipatorio forse si conquisterà un posto nel mondo, ma perderà per sempre il suo spazio nel giardino delle delizie. Marinella ed io siamo legati per sempre. È come se l'avessi sposata. Avrò cura di lei, nei secoli dei secoli.»

«Amen.»

«Non faccia dello spirito. Credo di avere pagato abbastanza il mio atto di amore estremo.»

«Lei è qui davanti a me a parlare d'amore come un ragazzino mentre Marinella, che era davvero una ragazzina, se ne sta sottotterra e questo non glielo posso perdonare.»

«A me basta il mio perdono.»

Un'ora più tardi Armida Loli si trova a prendere un tè ghiacciato con la commissaria Adele Sòfia.

«È stata a trovarlo?»

«Un uomo inzuccherato. Avvelenato d'orgoglio. Ha detto che lui si è perdonato.»

«In qualche modo deve continuare a farsi la barba ogni mattina. Lo specchio non accetta sputi.»

«Credo che oggi porterò una rosa sulla tomba di Marinella S.»

«La porti anche per me.»

«Una rosa è una rosa è una rosa è una rosa» ripete meccanicamente Armida tornando da sola verso casa «e poi e poi e poi?»

Chi ha ucciso Paolo Gentile?

Vi dico subito chi sono i personaggi di questa storia accaduta nei mesi estivi di un anno fa: Paolo Gentile, un giovane uomo trovato ucciso nei giardinetti di villa Margherita; Antonella Macci, la parrucchiera che l'ha rinvenuto mentre portava a spasso il cane la mattina di un lunedì di luglio; la commissaria Adele Sòfia, che è stata incaricata di seguire il caso; Annibale Gentile, il padre del morto; Michelina, sua figlia che studia lingue all'università e Celeste Carbonelli, detto Celestina.

Dunque, un lunedì di luglio, come vi dicevo, una giovane parrucchiera si trovava a passeggiare dalle parti del lungofiume tirando al guinzaglio il suo grosso boxer tigrato. In realtà era il cane a tirare la ragazza che cercava di trattenerlo dall'intrufolarsi in mezzo ai cespugli spinosi.

Così camminando col braccio teso se l'era trovato all'improvviso davanti: un ragazzo dalla testa bellissima, i grandi occhi azzurri spalancati, il collo segnato da lividi violacei.

Il primo istinto della parrucchiera era stato quello di scappare. Aveva cacciato un grido; si era portata una mano alla bocca e nel fare questo aveva lasciato il guinzaglio, così che il boxer, dallo stentoreo nome di Aureliano, si era precipitato ad annusare il morto con curiosità.

Per riprendere il cane, Antonella Macci aveva dovuto avvicinarsi ancora di più al cadavere, anziché scappare a gambe levate come avrebbe voluto.

Aveva visto il corpo del giovane, nudo dalla cintola in su, coperto da una frasca strappata dall'albero sotto cui giaceva. Si sarà spezzato il ramo e gli sarà caduto addosso, aveva pensato ingenuamente, nonostante che le chiazze nere sul collo fossero molto visibili.

A questo punto il personaggio di Antonella Macci è pronto ad uscire di scena. Dopo avere avvertito la polizia, dopo avere assistito da lontano all'arrivo dell'ambulanza, al prelievo da parte di due infermieri robusti, vestiti di verde, del corpo del giovanotto, se n'era tornata a casa. E lì la lasceremo non avendo più bisogno di lei. Perfino la commissaria si era annoiata di ascoltare per l'ennesima volta il racconto del cane, del guinzaglio strappato e del giovane dal torso nudo e gli occhi aperti che giaceva nascosto dietro un ciuffo di palme nane, coperto da un ramo ricco di foglie ancora verdi.

Veniamo alla commissaria: una donna sbrigativa e rapida di pensiero, con l'ironia qualche volta un poco tagliente dei toscani, l'abitudine di tenere in bocca un pezzo di liquorizia. Ne aveva sempre un pacchetto in tasca: treccioline profumate, cerchietti neri, chiocciole gommose, pesciolini viola che si cacciava in bocca ogni momento con la scusa di avere la gola secca da quando aveva smesso di fumare. In realtà era ghiotta di liquorizia e ogni mattina, prima di andare in questura passava dalla bancarella del Corso per attingere a piene mani fra gli ampi cesti inclinati in cui erano ammucchiati tronchetti di zucchero colorato, caramelle di tutti i colori, e lunghe stringhe di liquorizia esposte lì per la gioia dei bambini. Che ci fosse qualcosa del bambino in lei? Può darsi. Certo non l'avreste detto guardando il suo corpo goffo, tarchiato, di donna di mezz'età appassionata al suo lavoro che si allontanava rapida e sicura lungo i male illuminati corridoi della questura centrale.

La prima persona con cui aveva parlato del delitto era Celeste Carbonelli, il convivente di Paolo Gentile. Era arrivato in questura vestito in modo vistoso: una gonna cortissima a macchie di leopardo, una camicetta rossa aderente con i primi bottoni slacciati, un paio di tacchi alti, le gambe velate da calze color ambra. L'avevano colpita, del giovane, le mani grandi e robuste, piene di calli.

Non le aveva dato il tempo di fargli delle domande: si era seduto sulla sedia, con le gambe accavallate e le aveva rovesciato addosso una lunga e concitata storia di abusi familiari, di orfanotrofi, di prigioni, di malattie, di privazioni, e di improvvise felicità sessuali.

«Da quando ho fatto l'operazione mi sento molto meglio, più felice» aveva concluso con un sorriso infantile e trepido sulle labbra sensuali.

«Mi può dire dov'era la sera che è stato ucciso il suo amico Paolo?»

«Al cinema. Avevamo litigato per una sciocchezza: a lui non piace che vesta troppo sexy, ma io voglio fare come mi pare. Allora si è alzato, ha sbattuto la porta e se ne è andato. Io, per non farmi venire la tristezza ad aspettarlo, ho preso e mi sono infilata nel cinema vicino casa.»

«Si ricorda cosa davano?»

«Sì, *La vita è bella*.»

«Conserva il biglietto?»

«No, l'ho gettato.»

«Perché pensa che sia stato ucciso, Paolo Gentile?»

«Che ne so. Non aveva nemici, gli volevano tutti bene. Non si bucava nemmeno. Eravamo felici insieme.»

«Per caso lei sospettava che vedesse qualcun altro?»

«Paolo? ma se era fedele come un cane! anche troppo. Semmai era lui che si ingelosiva di me, degli sguardi degli uomini che mi seguivano sempre, ovunque. Ma a me piace così, essere seduttiva. Però non lo tradivo perché lo amavo.»

«Ha qualche sospetto, una idea su come sia stato ucciso?»

«Questo lo deve sapere lei» aveva risposto impermalito. Sembrava tranquillo, sincero; ma anche indifferente. Come è difficile giudicare le persone dai loro tratti. Ecco davanti a lei un giovane estroverso, dalla bella faccia liscia e rotonda, le gambe lunghe e femminili e le mani robuste, nervose, da artigiano. Si sarebbe detto sincero. Ma cosa c'era in quella testa dai capelli lunghi e ondulati chiusi da un fermaglio dorato?

A volte si illudeva di potere leggere sui visi che si trovava davanti il carattere, le abitudini, l'attitudine alla sincerità o alla menzogna. Ma spesso aveva dovuto ricredersi. Il volto umano parla, ma dice altre cose da quelle che si vorrebbero conoscere. I tratti, come anche il linguaggio, possono essere espliciti nel rivelare la cultura, l'origine sociale, le abitudini professionali; questo ragazzo, per esempio, rivelava, pur essendo evidentemente di nascita povera, una frequentazione ardita con persone colte da cui aveva assorbito modi di dire e frasi fatte.

Ma tutto questo non serviva assolutamente a stabilire la verità. Era vero che era andato al cinema? aveva ucciso lui l'amico? Da quel punto di vista la persona che le stava davanti era assolutamente impenetrabile. Bisognava insomma seguire la solita trafila e cominciare a chiedere, a analizzare, a fare parlare gli esperti e le fotografie.

Due ore dopo Adele Sòfia era ai "Bocciofili" per parlare con Annibale Gentile il quale, da quando era in pensione, trascorreva le sue giornate giocando a bocce con gli amici.

Aveva trovato un uomo spavaldo e aitante nonostante i suoi sessantacinque anni: un corpo robusto da atleta, i blue-jeans incollati al sedere, la pelle abbronzata, una sigaretta di ceramica appesa all'angolo della bocca.

«Vedeva spesso suo figlio?»

«No, pochissimo.»

«E perché?»

«Non mi piaceva la vita che faceva.»

«Che vita faceva?»

«I suoi amici, la sua donna...»

«Sapeva che questa donna è un uomo?»

«Chi, Celestina? certo. E non mi piaceva.»

«Quando l'ha visto l'ultima volta?»

«Due domeniche fa. È venuto a chiedermi dei soldi.»

«E lei glieli ha dati?»

«No, l'ho cacciato. Ma so che mia moglie gli ha dato qualcosa, di nascosto. Per modo di dire, di nascosto, perché a lei chi glieli dà i soldi? diciamo che chiudevo un occhio.»

Adele Sòfia stava per andare via quando aveva sentito un fruscio di ali e un pigolio soffocato. Si era guardata intorno e aveva visto una gabbia nascosta dietro una porta con dentro un merlo indiano che saltellava da un'asticella all'altra.

«È nervoso, non gli badi» le aveva detto lui quasi a giustificarsi. «Da quando è rimasto solo rompe l'anima. La sua compagna è volata via.»

«Una merla come lui?»

«Sì, e parlava. Lui non parla, non ha mai imparato. Invece lei era bravissima. A ogni persona che entrava diceva "ciao" con una tale naturalezza che tutti pensavano che fossi io.»

Adele Sòfia era andata via pensando che anche quel volto era indecifrabile e misterioso. Ma perché si era fatto rosso e cupo parlando della merla?

Poi era stata la volta di Michelina, la sorella di Paolo Gentile. La ragazza non riusciva ad aprire bocca per i singhiozzi che le spezzavano la voce in gola.

«Si calmi, vuole un poco d'acqua?»

Ma lei scuoteva la testa. Diceva una parola e poi sprofondava di nuovo nel pianto. Forse è la persona che gli ha voluto più bene a quel povero ragazzo, aveva pensato la commissaria guardando come la ragazza si stropicciava le lagrime con le dita abbronzate che poi si asciugava sulla gonna color lavanda.

Ma quando il cellulare aveva preso a squillare nella grande borsa di vimini, l'aveva vista ricomporsi di colpo e rispondere con voce soave: «pronto? ah, sei tu?». E le era venuto il sospetto che recitasse una parte.

Il giorno dopo era tornata ai "Bocciofili". Aveva rivisto Annibale Gentile, con la sigaretta di ceramica all'angolo della bocca, il cappello di paglia in testa, che giocava a bocce con gli amici.

Si era fermata a parlare con la signora Livia che gestiva il locale: «ci veniva mai, qui, il giovane Paolo Gentile?».

«Ci veniva qualche volta, a trovare il padre. Era un ragazzo semplice, allegro. Gli piaceva anche giocare, ma aveva poca pazienza. Era bello, le donne gli stavano appresso, ma lui pensava solo a quella, la Celestina.»

«Lo sapevano qui al circolo che Celestina era un uomo?»

«Alcuni sì. D'altronde lei non ne faceva un mistero. Le ha viste le mani da spaccapietre? Se però gli guardavi le gambe, o i seni, era proprio una donna.»

«Secondo lei, chi può avere strangolato Paolo Gentile?»

«Non lo so. Ma certo Celestina, con quelle mani, ce lo vedo a...»

«Perché avrebbe dovuto ammazzarlo?»

«I rapporti fra uomini sono sempre strani... diventano furiosi in amore, sono capaci di tutto.»

«Ma quella sera, la domenica del delitto, lo avete visto Carbonelli da queste parti?»

«No, io non l'ho visto.»

«E Paolo Gentile l'avete visto?»

«Lui sì. È venuto a parlare col padre.»

«Annibale Gentile dice che il figlio non è venuto quella domenica ma l'altra. Lei ricorda bene?»

«Mi pare proprio di sì, era qui quella domenica. Posso anche sbagliare: sono talmente abituata a vederlo in giro che non saprei...»

«E Annibale Gentile è stato qui tutto il tempo o si è allontanato?»

«Non ricordo. Mi sembra che se ne sia andato verso sera.»

Adele Sòfia aveva ordinato un cappuccino freddo e poi aveva preso a giocherellare con la penna sul suo taccuino. Ma anziché scrivere qualcosa, la sua mano si era messa a disegnare delle foglie: una fogliolina allungata, due foglioline, un ramo, un tronco. Ma quello era il ramo che era stato trovato sul corpo di Paolo Gentile. Perché ci stava tornando sopra? che senso aveva quel ramo? perché era stato staccato dall'albero e appoggiato sul corpo seminudo del morto?

E poi, di che albero si trattava? un fico? sì, proprio un fico. E improvvisamente le erano venute in mente le parole di Crisostomo nella sesta omelia della Pasqua: "Lungi da me le foglie del fico... Eccolo il sentiero stretto, la mia serrata. Ecco la scala di Giacobbe in cui gli angeli salgono e scendono...". In quel ramo stava il segreto del delitto.

Passo passo, Adele Sòfia si era diretta verso i giardini del lungofiume, lì dove la parrucchiera Antonella Macci aveva trovato il cadavere di Paolo Gentile e si era chinata a scrutare quegli occhi "grandi, azzurri, spalancati", come li aveva descritti in seguito.

Si era affacciata sugli spalti, aveva guardato l'acqua gialla del fiume scorrere impetuosa, poi si era messa a camminare fra le palme nane e il grosso fico che cresceva a ridosso del muro di cinta.

Fra i suoi pensieri interrogativi si era insinuata una voce squillante e metallica che gridava "ciao!".

Si era voltata di scatto chiedendosi come mai non avesse sentito i passi della persona che ora la salutava. Ma intorno non c'era nessuno. Un refolo fiacco di vento faceva oscillare i rami del fico carichi di foglie nuove.

«Ciao, ciao, ciao» ripeteva la voce. E finalmente Adele Sòfia aveva capito: si trattava della merla di Annibale Gentile scappata dalla gabbia.

Perché la merla si trovava su quel fico? e proprio sul mozzicone di ramo da cui era stata strappata la fronda trovata sul corpo del ragazzo morto?

Dunque riflettiamo: la povera merla, disabituata alla libertà, non sapeva dove andare ed era stata spaventata dal traffico. Volata via dalla gabbia in un impeto di ribellione, non aveva saputo andare più lontano del giardino pubblico. E se padre e figlio fossero arrivati lì dai "Bocciofili" discutendo? e se la merla fosse stata sul fico quella domenica e l'uomo avesse provato a prenderla?

Con questi pensieri in testa, Adele Sòfia era andata a bussare alla porta di casa Gentile sperando di trovare la madre di Paolo, la signora Ada Gentile, da sola.

Infatti era stata lei ad aprire. Ma sembrava spaventata nel vederla. «Che c'è, ha paura di me?» le aveva chiesto. Sapeva di avere un'aria da mamma paziente e nessuno la guardava mai con spavento. Cos'è che la intimoriva?

«Suo marito dov'è?»

«Ai "Bocciofili"» aveva risposto la donna quasi nascondendosi dietro la porta.

«Lei ricorda se quella domenica suo figlio è venuto a trovarvi qui a casa?» Ma la donna non intendeva rispondere. Continuava a stropicciare il grembiule con le mani come se volesse, per un incantesimo, scomparire.

«Lei ha qualche sospetto sull'uccisione di suo figlio Paolo?»

Ancora una volta la risposta era stata il silenzio. La donna sembrava terrorizzata. Ma perché?

«Vada, vada» le aveva detto poi, improvvisamente, con voce soffiata, «vada prima che torni, sennò mi ammazza.»

«Ma chi?»

Non c'era bisogno di risposta. Ormai era chiaro. Annibale Gentile aveva ucciso il figlio. Lo aveva strangolato. La ragione? Probabilmente la merla, che aveva sentito la sua voce, gli si era avvicinata, ma non tanto da farsi prendere. Allora lui si era aggrappato al ramo e l'aveva staccato dal tronco. Ma perché posarlo sul petto nudo del figlio?

Adele Sòfia aveva lasciato la donna spaventata ed era corsa ai "Bocciofili". Eccolo lì, Annibale Gentile. Sembrava che la aspettasse. Aveva spezzato in due coi denti la sigaretta di ceramica e la guardava con occhio torvo.

«Ho ritrovato la merla. Stava sul ramo rotto del fico sotto cui hanno trovato suo figlio. Perché l'ha ucciso?»

Lui l'aveva guardata, freddo freddo, e con un tono orgoglioso aveva detto: «Io preferivo morto piuttosto che snaturato. La merla mi ha fregato: se non mi avesse sbeffeggiato forse non avrei ucciso mio figlio. Gridava "ciao, ciao" con la voce dei miei amici bocciofili che sapevano di mio figlio e mi consideravano un rammollito per non averlo saputo educare. Ho strappato il ramo per tirarla giù, la merla maledetta, ma lei è volata più in alto. Intanto le mie mani, non io, avevano stretto il collo di mio figlio, non so come, non so nemmeno perché. Quando ho visto la sua faccia violacea, gli ho aperto la camicia perché respirasse... Sul petto aveva il segno di un succhiotto, allora per non vedere, l'ho coperto con le frasche del fico. Pensavo di fargli il massaggio al cuore, ma era già morto. Meglio così».

A mano a mano che il Gentile confessava il suo delitto Adele Sòfia capiva di avere davanti un uomo piccolo e fragile come e più di un uccellino, nonostante l'apparenza atletica, a cui un figlio troppo amato aveva fatto perdere quel poco senno di cui era in possesso.

Il pastore Ahmed e le tre ragazze nel bosco

Un giovane pastore dalle dita unte di grasso se ne sta seduto sotto il fico a mangiare pane cipolla e cacio. Vicino a lui un gruppo di pecore si sta difendendo dal caldo all'ombra di un carrubo. Il silenzio avvolge i rari rumori e li isola in un mare di felpa. Il verso segaligno delle cicale sale dai prati, insistente; il richiamo gutturale delle cornacchie scende dai cieli puliti.

Ma ecco che un rumore inatteso, inusuale, si stacca dal sentiero che porta a valle. Strano, a quest'ora, in questa zona del bosco dove non arriva mai nessuno! Il pastore Ahmed appoggia sopra una foglia il suo panino imbottito e si mette ad ascoltare. Delle voci femminili, spensierate e sorridenti, stanno salendo verso di lui.

Lo stomaco gli si chiude. Da quando vive solo su queste montagne in compagnia delle pecore, teme le voci umane. Immagina che tutti vogliano sindacare sulla sua condizione di lavoratore clandestino. Immagina che chiunque si avvicini a lui lo faccia per indagare, controllare. O magari derubarlo. Non è successo un mese fa che, mentre dormiva, dopo un pranzo di fichi acerbi e pecorino, un ragazzino gli abbia portato via il marsupio con tutti i suoi risparmi?

Ma ecco a mano a mano ingrandire all'orizzonte tre figurette leggere e colorate. Il pastore Ahmed, per istinto, va a nascondersi dietro un masso grigio, fra il viottolo e il fitto del bosco.

Le tre ragazze ora sono quasi a dieci metri da lui, portano i sacchi sulle spalle, sono in pantaloncini e maglietta. Una ha la frangia bionda e la coda di cavallo, le altre due hanno la testa rapata. Che siano due maschi? si chiede il pastore Ahmed ma le voci sono inconfondibili e anche i seni morbidi che si muovono al ritmo dei passi sotto le magliette.

Il pastore Ahmed inghiotte saliva guardandole avanzare, così fresche e innocenti. Più che attraenti però le trova rovinose, arroganti nella loro ignoranza di sé. Come si può permettere a delle ragazze di camminare a quel modo, di raparsi i capelli, di appendere alle orecchie dei ciondoli d'argento che penzolano osceni ad ogni moto del capo? al suo paese una cosa simile non avverrebbe mai. Ma qui non siamo al mio paese, si dice il pastore Ahmed, qui siamo ospiti e gli ospiti devono tacere e rispettare, tacere e rispettare...

Le ragazze chiacchierano a voce alta, ridono, procedono a ritmo lento e deciso, pestando le pietre di cui è cosparso il sentiero con grossi scarponi chiodati. Sopra gli scarponi sporgono i calzettoni arrotolati, rossi e gialli, e sopra i calzettoni si vede la carne nuda, dorata dal sole.

Il pastore Ahmed si aggrappa alla pietra grigia e prega in cuor suo Allah perché non gli faccia vedere ciò che sta vedendo. E, come per incantesimo, i suoi occhi, sebbene spalancati, non distinguono più lo spessore degli oggetti ma fissano ciechi e vuoti il buio davanti a sé.

Tre ore più tardi, una ragazza dagli abiti stracciati e la faccia rigata di sangue, entra nel caffè di P. Chiede con voce stranita un bicchiere d'acqua. Ma il barista non fa in tempo a servirla che lei casca lunga per terra.

«Signorina, si sente male? vuole un cognac?» chiede il barista che si chiama Oreste ed ha appena diciotto anni. La ragazza ora ha riaperto gli occhi, ma non risponde. Le lagrime le rigano il viso attonito e senza colori.

Sarà meglio che chiami il parroco, si dice il barista sapendo che abita a due porte di distanza ed è un giovanotto ardimentoso e pieno di energia che la domenica gioca a calcio con i ragazzi del paese.

Il parroco, in quattro passi è al caffè. Scosta la tendina di cordicelle plastificate e si china sulla ragazza che ora se ne sta muta e rattrappita in posizione fetale in mezzo al pavimento.

«Ma questa è ferita, Gesummaria, chiama la polizia, Oreste, e chiama l'ambulanza.»

La telefonata concitata arriva al posto di polizia di P. dove Adele Sòfia sta tenendo un breve corso di aggiornamento per neoassunti della Celere. Interrompe la lezione per correre al Pronto Soccorso dove intanto la ragazza è stata trasportata.

«Il cuore è a posto» le dice l'infermiere asciugandosi le mani; «è sotto choc. Questi sono i documenti che aveva addosso.»

La commissaria si infila gli occhiali: la ragazza si chiama Donatella Lumi, è nata a Bari il tre giugno 1980. «Capelli biondi, occhi scuri. Segni particolari: un tatuaggio sulla caviglia destra.» Ma i capelli sono rapati a zero e la caviglia è nascosta dal calzettone arrotolato.

Le gambe sono coperte di tagli e graffi come se avesse camminato, anzi corso, in mezzo agli spini. Ci sono anche due ferite, ma non profonde, al ginocchio sinistro, come se fosse caduta su una pietra aguzza o un pezzo di vetro. La ferita sul braccio invece pare profonda, sembra di coltello. Cosa e chi l'avrà conciata così?

Intanto le osserva le palpebre aspettando che si riaprano. Il respiro è normale. Ogni tanto il corpo intero è scosso da un singhiozzo, come succede ai bambini quando hanno smesso di piangere ma continuano a portare nel respiro l'eco del recente pianto.

La commissaria prende fra due dita il polso della ragazza. Che batte con un ritmo irregolare, precipitoso. Eppure non sembra che abbia la febbre.

«Commissaria, una comunicazione per lei.» La voce gracchiante della radio portatile le invade l'orecchio: «abbiamo trovato due cadaveri nel bosco di San Venanzio, contrada Acqua dei lupi. Stop. Due ragazze adolescenti, apparentemente strangolate. Sono state legate ad un albero e poi uccise, probabilmente violentate. Stop. Le stiamo portando all'ospedale per l'autopsia. Chiuso.»

Quindi erano in tre. Stavano facendo una gita nel bosco di San Venanzio. Sono state assalite e trucidate. Una sola si è salvata ed eccola qui.

Finalmente Donatella Lumi apre gli occhi e si guarda intorno perplessa: «dove sono Alex e Pigi?».

«Vuole un poco d'acqua?»

«Dove sono Alex e Pigi?» grida la ragazza e fa per scendere dalla barella.

«Stia quieta, non lo vede che la ferita butta sangue?»

«Quale ferita?»

«Qui sul braccio. Ricorda come se l'è fatta?»

«Voglio rivedere le mie amiche.»
«Le rivedrà. Adesso non è possibile.»
«Perché?»
«Non ricorda niente di quello che è successo?»
«Che è successo, ditemelo.»
«Siete state aggredite. Non ricorda?»
«No, niente. Ma Alex e Pigi...»
«Sono state ferite.»
«Ferite? e da chi?»

Adele Sòfia guarda con pietà quella piccola testa rotonda brutalmente rapata, l'orecchio minuto da cui pende un orecchino d'argento in forma di orsacchiotto. L'altro sembra essere stato strappato da una mano impaziente e crudele: il lobo è diviso in due brandelli.

«Che ne è dell'altro orecchino?» chiede alla ragazza sperando di suscitarle qualche ricordo.

«Perché?» la domanda è accompagnata da un gesto della mano verso l'orecchio ferito. La ragazza se lo palpa come cercando di ricordare lo scempio, ma qualcosa glielo impedisce. La sua fronte si corruga invano.

«Cerchi di rammentare», suggerisce dolcemente la commissaria.

«Dovevamo andare sulla cima del monte Tribolo.»
«E che cosa ve lo ha impedito?»
«Non lo so.»

Intanto, ecco avvicinarsi il dottore col carrello dei medicinali. Appoggia la cucitrice sulla ferita e preme tenendo fermo il braccio. La ragazza non grida, non si lamenta, sembra quasi non provare dolore. Continua a portarsi la mano all'orecchio con un gesto automatico ed ossessivo.

Arrivano i genitori, Maria e Ubaldo Lumi, con la macchina della polizia. Donatella li abbraccia piangendo.

Chiede loro notizie delle due amiche, ma continua a non ricordare niente di quello che è successo nel bosco di San Venanzio.

Adele Sòfia cerca di ricavare qualche notizia sulle tre ragazze. Erano molto amiche, spiega la madre di Donatella, uscivano sempre insieme. Questo fine settimana avevano deciso di fare una spedizione sulla cima del monte Tribolo, passando per i boschi di San Venanzio. Si erano portate gli zaini con la roba da mangiare, da bere e il sacco a pelo per dormire, su al rifugio Croce. Ma qualcuno le aveva aggredite all'altezza della contrada Acqua dei lupi. Chi può essere? chiedono insistenti quasi che il solo fatto di appartenere alla polizia, la renda veggente.

La mattina dopo, Adele Sòfia viene svegliata prestissimo dal medico legale che ha eseguito l'autopsia: «le ragazze sono state prima violentate e poi strangolate».

La commissaria sa che le prime giornate sono determinanti nella ricerca di un colpevole. Avrebbe già dovuto mandare dieci uomini in perlustrazione nella zona del delitto; ma come trovarli dieci uomini a P. dove ce ne sono a stento tre, di cui uno in ferie, un altro malato, il terzo si occupa del corso di aggiornamento che ha raccolto nella piccola città una settantina di nuovi assunti?

Dopo avere ingollato un caffè bollente si incammina verso la chiesa da cui sente provenire delle grida. Spinge la porta laterale e si trova davanti i parenti delle due ragazze uccise che piangono a voce alta, lanciano insulti, esortano alla vendetta.

Avere sempre a che fare col dolore umano, ma che mestiere è? si chiede avanzando in mezzo alla folla dei congiunti che appena la vedono, l'assediano con domande e recriminazioni.

Un lampo, due lampi, ma da dove vengono tutti questi fotografi? chi li ha fatti entrare? Adele Sòfia si caccia in bocca una rondella nera di liquorizia salata arrivata dall'Olanda e si avvia verso l'uscita secondaria nascosta dietro l'altare.

Ad aspettarla c'è l'ispettore Marra col fuoristrada: «andiamo al bosco di San Venanzio» dice e si abbandona sul sedile succhiando la liquorizia salata che è particolarmente profumata e amara.

Il fuoristrada salta sulle buche della vecchia statale, poi si infila fra gli alberi, inerpicandosi lungo il sentiero per capre. Querce e faggi sembrano volerli fermare nella loro corsa disagiata allungando lunghi rami bitorzoluti che si spezzano contro la carrozzeria della macchina.

Poco prima di arrivare alla contrada Acqua dei lupi sono costretti a scendere e proseguire a piedi. Il sentiero si stringe fino a trasformarsi in un fondo di torrente ed è così ripido che si rischia di capovolgersi.

«Non ho le scarpe adatte per un posto simile.»

«Nemmeno io.»

I due si incamminano faticosamente su per quell'erta pietrosa, seguiti da un nugolo di moscerini che girano vorticosi attorno alle loro teste. L'aria è afosa e immobile. Si sentono solo le cicale e il verso monotono delle cornacchie in cerca di cibo.

«Ma questo cos'è?»

«Sembrerebbe un panino imbottito.»

«Pane e formaggio, con i segni di un morso.»

«Posato sopra una foglia.»

«Metta nel sacchetto. Andiamo avanti.»

Poco dopo raggiungono il luogo del delitto, ora recintato con strisce di plastica bianche e rosse. Si vedono ancora le chiazze di sangue sulle pietruzze del sentiero, lì dove è stata ferita la ragazza che è riuscita a scappare.

«Vuole una liquorizia salata, Marra?»

«Che roba è?»

«Dà un senso di frescura. Inganna la sete.»

«Be', proviamo.»

«L'ha portata la mappa dettagliata della zona?»

«Sì, eccola.»

Adele Sòfia stende la mappa su una larga pietra che sporge dal terreno e osserva i segni dei torrenti, delle macchie, dei burroni.

«Non ci sono case in questa zona. Solo pascoli e foresta. Ci saranno dei pastori.»

«Mi sono informato. Ce ne sono due di pastori che portano le pecore da queste parti: un sardo di nome Piddu, e un marocchino che si chiama Ahmed Zhusi.»

«In regola o clandestino?»

«Non lo so. Clandestino, credo.»

«Ma le pecore di chi sono?»

«Quelle che porta in giro Piddu sono sue e del fratello. Ne hanno più di ottocento. D'inverno le tengono in Puglia, d'estate le portano qui, nella zona di San Venanzio. Le altre pecore, quelle a cui bada il marocchino, appartengono ad un certo avvocato Tronci di Napoli.»

«Un avvocato che tiene le pecore?»

«Ne ha tante, ma non sono mai state contate. Certamente evade le tasse, il marocchino lavora in nero.»

«Le tre ragazze camminano chiacchierando. È domenica. Fa caldo. Si propongono di arrivare in cima al monte Tribolo entro le due. Qualcuno intanto le sta spiando. E poi l'assalto. Con la minaccia di un coltello vengono legate all'albero; vede? qui sulla corteccia ci sono le tracce della corda. Questo farebbe pensare che fosse uno solo. Se fossero stati in due o più di due non avrebbero avuto bisogno di legarle. Uno solo, invece sì, perché così poteva tenerle sotto controllo tutte e tre. Donatella Lumi però riesce a slegarsi e a scappare. Come mai l'uomo non l'ha seguita?»

«Se doveva tenere ferme le altre, non poteva mettersi ad inseguire quella che fuggiva.»

«La ragazza, per di più, non si avviava verso il viottolo che conduce all'abitato, ma verso il burrone. Se è uno che conosce il posto doveva sapere che da lì non si esce. E invece la ragazza, pur di sfuggirgli, si precipita giù per il burrone e in qualche modo, con la forza della disperazione, ce la fa a raggiungere la strada e le case. Potrebbe essere andata così, che ne dice, Marra?»

«Neanche una capra, giù per quel precipizio...»

Al ritorno, Adele Sòfia passa all'ospedale per sapere se la ragazza comincia a ricordare, ma le dicono che niente è cambiato. «Continua a toccarsi l'orecchio e a chiedere delle sue due amiche.»

Nel pomeriggio vengono rintracciati i due pastori: Piddu e Zhusi. Il sardo è ben vestito, arriva col suo avvocato e porta in tasca il cellulare. Il marocchino se ne sta in piedi, dimesso e spaventato, asciugandosi il sudore con un fazzoletto appallottolato.

Piddu racconta brevemente che quella mattina era in paese a trattare una partita di formaggi. Le pecore le aveva lasciate sole col cane. «Ho i testimoni. Vuole i nomi?»

Zhusi invece ammette, in uno strano linguaggio che mescola il francese all'arabo e all'italiano, che era lì nel bosco di San Venanzio, che ha visto le tre ragazze salire per il viottolo, che le ha spiate nascosto dietro una roccia ma che non è mai uscito dal suo nascondiglio.

È chiaro che i sospetti si concentrano sul pastore marocchino che è in Italia senza documenti: è stato trovato in possesso di un coltello "da formaggio" come dice lui e di una corda arrotolata che però non porta tracce di cortecce d'albero.

Il giovane viene portato in presenza di Donatella Lumi perché lo riconosca, ma lei scuote la testa sconsolata: no, non sa, non ricorda, non ha mai visto quell'uomo.

Anche Piddu è messo a confronto con la ragazza, ma lei continua a fare segno di no con la testa. Infine, il sardo viene mandato a casa.

Adele Sòfia trova finalmente un interprete e interroga per ore il pastore Ahmed. Ma per quanto insista non riesce a tirargli fuori niente più di quanto ha detto la prima volta; che ha sentito le tre ragazze arrivare lungo il sentiero mentre stava mangiando un panino con il formaggio, che ha posato il panino su una foglia per nascondersi dietro un masso, che è rimasto lì a guardarle passare, che ha pregato Allah di non vedere ciò che stava vedendo e che il Signore l'aveva accontentato perché, sebbene tenesse gli occhi aperti, non vedeva che ombre, ombre nere.

Questo discorso ingenuo e confuso stranamente suona sincero alla commissaria. Ma i superiori premono perché si chiuda il caso "assicurando il colpevole alla giustizia". I giornalisti l'assalgono ogni volta che mette il naso fuori della porta. Le sono stati messi a disposizione altri uomini; ma a che servono, ormai?

La capanna di Ahmed Zhusi viene rivoltata senza che

vi si trovi niente che possa incriminarlo. Sul pavimento di terra c'è solo un poco di paglia con sopra disteso un sacco a pelo. Accanto, fra due pietre, una scatola di latta con dentro duecentomila lire, un Corano rilegato in pelle, una camicia pulita e un paio di sandali fatti con pelle di pecora.

«Bisogna che vada a parlare con il padrone delle pecore, l'avvocato Tronci; viene con me, Marra?»

«Il Tronci, ho guardato, è residente a Napoli ma ha un appartamentino a P.»

Lo trovano in maniche di camicia, con una sigaretta appesa al labbro. Un uomo sui cinquant'anni, dai tratti regolari, gli occhi infossati, chiari, i capelli lunghi dietro le orecchie, il corpo atletico, l'aria sicura di sé.

«Lei sa che è proibito dalla legge tenere lavoratori non dichiarati. Quanto lo pagava al mese?»

«Un poveraccio che ho raccolto per strada. Chiedeva l'elemosina, dormiva sotto i ponti. Gli ho dato un lavoro, che male c'è?»

«Non ha risposto alla mia domanda.»

«Ma se non sapeva neanche da che parte cominciare! ho dovuto insegnargli tutto, da come si richiamano le pecore a come si mungono. Un vagabondo, un selvaggio. E guarda che mi ha combinato! ha visto tutta quella carne nuda e ha perso la testa.»

«Quindi lei dà per scontato che sia stato lui a uccidere quelle due ragazze?»

«E chi altro?»

«Le risulta che sia un tipo violento?»

«Be', da come ammazzava le pecore, tenendole strette fra le cosce, ho capito che il sangue gli piaceva. E gli piaceva procurare dolore, costringere la vittima al suo volere... per rivalsa magari: sa, si tratta di un uomo povero che ha sempre visto la ricchezza come un insulto personale. D'altronde, quelle ragazze andavano in giro sole, mezze nude, con quelle magliettine scollate, senza reggiseno... Un uomo che sta sempre solo, a digiuno, in mezzo alle pecore, che cosa può fare?»

«Come fa a sapere che erano senza reggiseno?»

«Be', lo immagino. Ho visto una foto sul giornale di ieri; quel tipo di ragazze alla moda, che si rapano i capelli, che si vestono da uomo e, appunto, non portano reggiseno, non mi stupirei che se la facessero fra di loro.»

Adele Sòfia cerca di ricordare se nella foto pubblicata sul giornale si vedesse il seno della ragazza che si è salvata. Ma no, non le pare che si vedesse, era una fotografia della sola testa.

«Quando l'ha visto l'ultima volta, il Zhusi, prima di quella domenica?»

«Non ricordo. Forse il giovedì. Lo vedevo sempre il giovedì quando gli portavo la paga. Ma adesso devo proprio andare. C'è un cliente che mi aspetta.»

«Grazie, avvocato. Lei quindi sarebbe disposto a testimoniare contro Ahmed Zhusi nel caso venisse accusato di omicidio?»

«Certo. A sua disposizione, commissario. Arrivederci.»

Tornando indietro, Adele Sòfia ripensa a quel colloquio succhiando una tartaruga di liquorizia. C'è qualcosa che non la convince in quell'avvocato. È troppo sicuro nel dare come scontata la colpa del pastore. E poi come fa a sapere che le ragazze in gita non portavano reggiseno? nessun giornale ha stampato una cosa simile. Eppure le ragazze erano effettivamente senza reggiseno.

La sera stessa organizza una perquisizione nell'appartamento dell'avvocato Tronci a P. Gli agenti si trovano davanti una donna piccola e rabbiosa dalla faccia coperta di rughe «come una pellerossa... aveva perfino una treccia grigia che le penzolava sulla schiena» le racconta l'ispettore Marra.

La perquisizione è durata quasi due ore, ma non si è trovato assolutamente nulla che potesse insospettire. «Mentre noi frugavamo fra i mobili la madre del Tronci ci teneva d'occhio, seduta sulla soglia.»

«E l'avvocato?»

«L'avvocato, in vestaglia a righe gialle e nere, andava avanti e indietro fumando una sigaretta dietro l'altra.»

La commissaria chiede che le diano ancora tre giorni prima di dichiarare chiuso il caso. Tutte le evidenze sono contro Ahmed Zhusi, ma quel giovane le sembra sincero. C'è qualcosa nella sua voce e nei suoi occhi che non le parla di menzogna e di ipocrisia, ma di fierezza ferita.

«Tornerò dal Tronci» dice a Marra e cerca di trascinarlo con sé, ma l'ispettore è testimone a un matrimonio fra paesani e deve andare.

«Lei, avvocato Tronci, dove si trovava, la mattina di domenica quattordici luglio?»

«Qui stavo, dove vuole che fossi? io dormo la domenica, mi riposo. Lo chieda a mia madre.»

«Lei, signora, conferma?»

La donna china il capo energicamente. Ma Adele Sòfia non si accontenta e le chiede che lo dica a voce alta: «può giurare di essere stata qui con suo figlio per tutta la mattina?». La donna continua a dire sì con la testa ma non pronuncia parola.

«Da quanto tempo il Zhusi lavora per lei, avvocato Tronci?»

«Da un anno circa. Se ci sono da pagare delle multe le pagherò. Ma visto che dovrà stare chiuso in galera...»

«Lei non ha un dubbio, uno solo, che possa essere stato qualcun altro?»

«Mi sembra così chiaro...»

«È disposto a costituirsi parte civile assieme ai parenti delle due ragazze uccise?»

«Certo, subito.»

«Non aveva neanche un poco di simpatia per il suo pastore?»

«Lo conoscevo appena. E quando ho saputo cosa aveva fatto...»

«Quando l'ha saputo con esattezza?»

«Il telegiornale delle otto, la sera di domenica. Hanno fatto il nome dei due pastori della zona. Hanno mostrato la foto della ragazza che si era salvata. Delle altre, hanno detto come erano state legate e seviziate...»

«Be', veramente delle altre due si è saputo solo il giorno dopo...»

«Allora forse confondo.»

«Va bene, la saluto, avvocato. Forse tornerò a trovarla. Intanto si tenga a disposizione, per favore...»

«Al suo servizio, commissaria... sempre al suo servizio.»

L'avvocato la accompagna verso l'uscita e sembra contento, sorride e cammina saltellando.

Passando accanto al bagno dalla porta aperta, Adele Sòfia vede qualcosa che attira il suo sguardo: un oggetto luccicante, seminascosto sotto il tappetino della lavatrice. Entra, si china a raccoglierlo. E si trova in mano un orecchino d'argento in forma di orsacchiotto.

«Devo chiederle di seguirmi, avvocato. Questo è l'orecchino di Donatella Lumi. Come mai si trova nel suo bagno?»

«Mamma, come mai questo orecchino si trova qui? Io non entro mai in questo bagno, ne ho un altro vicino alla stanza da letto.»

La madre lo guarda fisso senza dire una parola. Le rughe si sono talmente concentrate intorno agli occhi che appare come una bertuccia sbalordita mentre spia da un ramo di qualche foresta tropicale.

«Ah, ora ricordo. Qualche volta, mia madre, che è molto generosa, metteva nella nostra lavatrice la biancheria del pastore Zhusi. Era un favore che gli faceva, proprio perché è generosa, caritatevole. Certamente quell'orecchino è caduto dalla tasca di una delle camicie del pastore Ahmed.»

«Signora, mi può mostrare le camicie di Ahmed che lei ha messo in lavatrice? pulite o sporche non importa.»

Ma la donna non si muove. Come una statua di legno che rappresenti il personaggio della Sorpresa, rimane inchiodata al suo posto a guardare il figlio con occhi fermi e muti.

«Ora la troviamo, la camicia di Ahmed, ora la troviamo» dice l'avvocato frugando fra le camicie sporche. Ne tira fuori una, sgualcita, e la mostra trionfante alla commissaria: «ecco, guardi».

Adele Sòfia accompagna l'avvocato al posto di polizia. Lo interroga ancora e finalmente, dopo ore e ore di domande, l'uomo ammette di essere stato al bosco di San Venanzio, quella mattina.

«Ero andato per pagare il pastore, in ritardo di qualche giorno. Non sempre ero puntuale. Appena arrivato ho visto lo scempio che aveva fatto: le due ragazze giacevano morte sotto l'albero e lui mi chiedeva di aiutarlo a seppellire i corpi. Gli ho detto che era pazzo e me ne sono andato.»

«E dopo tutto questo, sua madre si prende una camicia dello Zhusi e la porta in casa per lavarla?»

«Non so come quell'orecchino sia finito da me. Non escludo che il pastore Ahmed l'abbia ficcato nella mia tasca.»

Una vecchia storia. L'avvocato la conosce bene: è difficile per la giustizia stabilire la verità quando le colpe sono così divise fra due possibili responsabili. Ahmed Zhusi ha raccontato a sua volta che l'avvocato è andato a trovarlo la domenica a fine mattinata, che lui gli ha detto di avere visto le tre ragazze e che l'altro le ha inseguite su per il sentiero.

A chi credere? I due vengono incarcerati con l'accusa di violenza carnale e omicidio. I giornali ne parlano diffusamente prendendo le parti dell'uno o dell'altro. Dopo due mesi vengono liberati tutti e due per mancanza di prove.

Solo a gennaio, quasi sei mesi dopo, Donatella Lumi ritrova la memoria e riconosce il Tronci: «è lui, è lui, lo ricordo bene. Ci è venuto dietro per il sentiero. Sembrava amichevole. Ci ha offerto dell'acqua. Ci ha chiesto da dove venivamo, dove andavamo. Mio Dio, Alex, perdonami! Pigi, dove sei? Poi improvvisamente ha tirato fuori il coltello e ci ha ordinato di metterci in ginocchio. Aveva cambiato voce. Non era più quella persona gentile che chiacchierava prima con noi, era un altro, non ci guardava in faccia, non riusciva più neanche a girare il collo. Ho fatto un gesto come per cacciarlo via e lui mi ha dato una coltellata sul braccio. Alex e Pigi si sono precipitate per darmi una mano ma lui aveva già srotolato la corda. Ci ha legate addosso a un albero dicendo che dovevamo stare tranquille, che non ci avrebbe fatto niente. Intanto prendeva a sberle Alex perché si era messa a piangere. Poi ha dato una coltellata in faccia a Pigi. Alex, povera Alex, l'ha buttata per terra e la teneva ferma col coltello alla gola. Pigi era paralizzata, non riusciva neanche a piangere. Io ho visto che la corda era lenta da una parte e ho cominciato a tirare. Mi sono liberata e mi sono messa a correre. Ho sentito Pigi che gridava "vai, chiama qualcuno!". Lui ha fatto per venirmi dietro ma Alex ha preso a scalciare e lui si è chinato su di lei per darle uno schiaffo. Correvo, correvo, non sapevo dove andavo. Finché mi sono trovata davanti un burrone. Mi sono buttata giù rotolando fra le pietre. Non so come sono riuscita ad arrivare fino in fondo, non lo so...»

«E non ha visto, assieme con l'avvocato, un uomo giovane dai capelli neri ricci, un berrettino bianco in testa?»

«No, quello era solo.»

Quindi era vero quello che aveva detto Ahmed Zhusi: Allah lo aveva reso temporaneamente cieco per salvargli la vita.

Ombre

Una donna cammina lungo il Corso tenendo per mano una bambina. Procedono leste con l'incedere di chi ha un appuntamento a cui tiene. La donna è pensierosa: la bella fronte è tagliata da due rughe profonde. Porta i blue-jeans incollati alle gambe, i capelli biondi morbidi le saltellano sulle spalle ad ogni passo che fa sui tacchi alti.

La bambina ogni tanto lancia uno sguardo da sotto in su verso la faccia aggrondata della nonna. È vestita come una bimba di cinque anni sebbene ne abbia già compiuti otto: il grembiule corto a quadretti bianchi e rosa, il colletto candido a bavarola che si allarga intorno al collo delicato, le gambe nude, i calzerotti arrotolati sulle caviglie, le scarpette di vernice nera.

Un uomo sorride vedendole passare. È il macellaio Pasquale Mancia. Indossa un grembiule bianco imbrattato di sangue. Sul suo collo peloso splende una catena d'oro dalle maglie pesanti e una medaglia della Madonna.

«Buon giorno, signora Agata.»

«Buon giorno, Pasquale.»

La bambina fa per fermarsi ma la nonna le molla un

piccolo calcio sul tallone sinistro e la tira per la mano; hanno fretta, non lo sa?

Poco più avanti eccole sfiorare la vetrina della pasticceria. Agatina allunga il collo per spiare la pasticciera, signora Veronica, che sta spalmando uno strato di cioccolato cremoso e fumante sopra una torta a forma di losanga.

«Muoviti, testona!»

Ma Agatina si sposta di malavoglia. Cammina trascinando i piedi, la testa che si ritira nel collo come fosse una tartaruga.

«Dopo ti compro una fetta di torta. Ora andiamo, lo sai che siamo in ritardo.»

«Dopo quando?»

«Dopo.»

«E ora?»

«Ora no.»

Agatina si fa tirare dalla nonna che riprende il suo passo veloce sull'asfalto ammorbidito dal sole.

Un altro saluto teatrale, un sorriso ammiccante: Agata Peci è conosciuta nel quartiere per la sua bellezza un poco rude di contadina inurbata. Quei capelli biondissimi, "di tintoria", come dice la zia Peppina, quegli occhi neri liquidi molto truccati, quelle spalle ampie e robuste, quei seni che nessun reggipetto può contenere, quelle gambe lunghe e muscolose le hanno guadagnato l'appellativo di "malafemmina".

Agatina, a mano a mano che si avvicinano alla meta, si fa più riottosa, più svogliata e la nonna quasi la trascina dietro di sé aumentando la stretta sulla piccola mano recalcitrante.

La bambina reagisce a quegli strattoni con delle smorfie quasi comiche: questa donna io la conosco, sembra dire la sua faccia infantile, conosco i suoi gesti, la sua voce, il suo odore quasi meglio di come conoscessi quelli di mia madre. È l'unico affetto che ho, l'unica tenerezza: quante volte mi ha imboccata, lavata, asciugata, cosparsa di borotalco, quante volte mi ha brontolata, presa a schiaffi, ma anche riempita di baci e carezze?

Ora questa stessa mano, che l'ha tante volte amorevolmente accudita, le tiene prigioniere le dita e la conduce verso la casa piena di ombre dall'orribile odore di canfora e sigaretta vecchia.

«Eccoci arrivate» dice la nonna accingendosi a pigiare il campanello di un ampio portone su cui spicca una placca di ottone dorato. Ma prima di premere il pulsante si china con un gesto affettuoso sulla nipote: «fai vedere i capelli... questo cerchietto con le paperelle ti sta proprio bene... sei molto carina, amore mio... pulisciti le scarpe che sono tutte impolverate».

La bambina strofina le scarpe col fazzolettino di carta che le porge la nonna, ma lo sporco non va via.

«Sputaci sopra!»

Timidamente Agatina fa colare un poco di saliva sulla punta delle scarpe e poi torna a strofinarle con la carta.

«Hai visto, come sono diventate lucide?»

Intanto la porta si è aperta e un uomo anziano si affaccia sorridente: «entrate, entrate, che gioia rivedere le due Agate, una più bella dell'altra!».

La bambina lo guarda stupita: non gli ha mai visto i capelli bianchi inanellati sparsi sulle spalle. Di solito li tiene stretti con un elastico dietro la nuca. Il collo magro e rugoso gli esce da una camicia rosso fiamma.

È un uomo gentile che si muove con grazia melliflua dentro la casa grande piena di ombre, odorosa di canfora e di sigaretta vecchia. Agatina conosce quell'odore e appena lo sente salire su per le narici si porta istintivamente una mano al naso chiudendo gli occhi.

Intanto la donna si è seduta su una poltroncina alta e stretta accavallando le gambe. La bambina è rimasta in piedi con la mano chiusa nella mano della nonna.

«Un gingerino?» dice cortese il notaio versando il liquido trasparente nei calici stretti e lunghi.

«Fa caldo, preferirei un bicchiere di acqua con ghiaccio.»

L'uomo si allontana guardingo, a piccoli passi rapidi. Di spalle fa pensare ad una donna asciutta, slanciata, con una bella testa di ricci bianchi.

Agata, appena vede sparire l'uomo nella cucina, attira a sé la nipotina e con voce minacciosa e rassicurante insieme le dice: «sarai brava, amore mio? dopo andiamo dritto in pasticceria. Ora fai la brava che io ti voglio tanto bene, okkei? ora devi solo chiudere gli occhi e pensare a un bel gioco... sembri un ranocchietto con quella faccetta tutta rattrappita, dài sorridi!».

Intanto l'uomo è tornato tenendo in una mano una ciotola colma di cubetti di ghiaccio per la nonna e nell'altra dei biscotti alla marmellata per la bambina.

«Ne vuoi?»

Agatina non risponde. Ha la gola chiusa e le lagrime che spingono da dietro le palpebre.

«Come va a scuola, Agatina, eh?»

La bambina non riesce a spiccicare una parola. La nonna le viene in soccorso, affabile e premurosa: «è un poco asinella questa bambina, non si applica, non studia. Ma poi alla fine andrà bene, sarà promossa, vero Agatì?».

«Vuoi qualcosa da leggere?» chiede l'uomo prendendo da un tavolino basso una rivista con delle fotografie a colori.

«Mi sono portata *La Settimana enigmistica*» risponde la donna frugando nella borsa.

«Vuoi la penna?»

«Ne ho due.»

«Allora andiamo» dice l'uomo rivolto alla bambina che non accenna a muoversi.

«Andiamo, Agatina?»

«Io rimango con te», dice la bambina con un filo di voce. Sa di rischiare uno schiaffo. Che puntualmente infatti arriva. La bella mano dagli anelli pesanti si schianta contro le labbra della bambina.

«E ora vai!» dice spingendola verso il vecchio.

La bambina si trova la mano libera ma per poco perché subito sente le dita rugose dell'uomo che le circondano il polso intorpidito. Ed è costretta a seguire l'ospite lungo il corridoio che porta alla camera da letto.

La donna guarda i due che spariscono nel corridoio macchiato di ombre e qualcosa le scava nel ventre come un topo in gabbia. Per calmarsi affonda le mani nella borsa, tira fuori il pacchetto di sigarette; ne accende una e prende ad aspirare il fumo con aria stanca.

Sarà meglio occupare la mente con qualcosa di diverso, si dice. Per questo apre *La Settimana enigmistica* e prende a riempire le caselle di un cruciverba. Ogni tanto una immagine fastidiosa le torna alla memoria: un'altra mano ossuta, un altro portone, tanti anni fa: sua madre Agatuccia l'accompagnava, come fa ora lei con la nipote, a "guadagnarsi il pane".

Dalla porta chiusa non arriva nemmeno un piccolo suono. Strano che l'uomo non parli, non cerchi di affascinare la bambina con quella bella voce grassa e morbida che ha. Ma chi recitava la parte di Gilda nel film omonimo? Ingrid Bergman? no, no, non c'entra. Marilyn Monroe forse? no, neanche lei; e allora chi? possibile che non sia raggiunta nemmeno da una risata, da un rimprovero, uno schiocco di voce? e chi ha diretto il film *Germania anno zero*? De Sica? no, ma guarda che disdetta, queste domande diventano sempre più difficili.

Proprio quando è riuscita a immergersi dentro il mondo degli enigmi ecco il tonfo della porta sbattuta e i passi rapidi della nipote che corre verso di lei.

«Che è successo? che ti ha fatto?»

«Nonna, il notaio è caduto.»

«Gli hai dato una spinta tu?»

«No, è caduto da solo.»

Agata si alza lasciando ruzzolare per terra la rivista e le due penne. Si dirige rapida verso la camera da letto. Lì trova il vecchio riverso per terra, i pantaloni aperti e scivolati sulle ginocchia, la faccia pallida dagli occhi rovesciati, i capelli bianchi sparsi sul pavimento.

«Andiamo, Agatina, non è successo niente, il notaio sta dormendo, lasciamolo dormire.»

«Non chiamiamo il dottore, nonna?»

«Macché dottore! E ricordati: tu non hai visto niente. Noi stamattina siamo state al supermercato che è qui vicino. Il notaio tu non l'hai proprio visto, hai capito?»

Come per sigillare la minaccia le arriva uno schiaffo sull'occhio destro, rapido e inatteso.

«Vai, esci da qui che ti raggiungo subito, vai!» le grida la nonna.

Tenendo una mano sull'occhio indolenzito Agatina si avvia verso la porta. Ma prima di uscire si volta e osserva la donna che, con gesti precisi e frettolosi, infila una mano nella tasca della giacca appesa alla sedia, ne estrae il portafogli da cui cava fuori due carte da centomila lire.

«È quello che mi doveva. E niente più, hai capito? non sono una ladra, e nemmeno tu. Andiamo.»

La commissaria Adele Sòfia le osserva entrare, nonna e nipote, mano nella mano. La donna è bella, straripante, sicura di sé; la bambina se ne sta curva, con la testa incassata nelle spalle come se temesse di esporla troppo.

«Sedete, prego, là ci sono le sedie.»

La nonna si siede, ma senza abbandonare la mano della bambina che rimane in piedi accanto a lei.

«La bambina vive con lei, signora Agata Peci?»

«Già, da quando i suoi genitori se la sono squagliata lasciandomi senza un soldo...»

«Dove sono adesso i genitori della bambina?»

«Se me lo dice lei, mi fa un favore.»

«Vuol dire che sono spariti? che non si fanno mai vivi con lei?»

«Se ne sono andati in India ma non hanno mandato neanche una cartolina.»

«Quando sono partiti?»

«Ormai sono otto mesi.»

«E come vive lei?»

«Con la pensione di mio marito morto.»

«E a quanto ammonta questa pensione?»

«Un milione e duecentomila lire.»

«Eppure lei dispone di una macchina di lusso, gioielli e vestiti firmati. Come fa?»

«Tutta roba che mi ha comprato mio marito quando era vivo. Guadagnava bene. Ora viviamo della sua pensione ma siamo brave a risparmiare: mangiamo come due uccellini, la casa è di proprietà, la macchina, finché dura...»

«Conosceva il notaio Pastore?»

«Sì, ma solo di vista.»

«Eppure risulta che avete avuto un rapporto amoroso qualche anno fa. Abbiamo trovato un pacco di lettere in casa del notaio.»

«Ah, il porco! mi aveva detto di averle bruciate.»

«Quanto è durato questo rapporto?»

«Pochi mesi.»

«Tutte quelle lettere in pochi mesi?»

«Be', abbiamo continuato a scriverci per un po', ma era tutto finito. Non ci incontravamo affatto.»

«Eppure qualcuno vi ha viste, quella mattina, entrare in quella casa.»

«Si sbagliano. Io non ci vado da mesi. Mia nipote poi non ci è mai stata. Vero, Agatina?»

La bambina china la testa assentendo. Ma i suoi occhi sfuggono.

La commissaria si chiede che colore abbiano: mentre la bambina si avvicinava aveva avuto l'impressione che fossero chiari ma ora, chissà, forse perché si nascondono sotto le ciglia folte, sembrano scuri, insondabili.

«Le ha mai dato dei soldi il notaio?»

«A me? e perché avrebbe dovuto darmi dei soldi? non faccio mica la prostituta!»

«Quindi lei dichiara di non avere visto il notaio la mattina in cui è morto.»

«Di che è morto, a proposito? Mi è dispiaciuto sa, era una persona tanto perbene.»

«È morto di un ictus cerebrale. Una cosa immediata. Ma la cosa strana è che aveva i pantaloni calati.»

«Forse stava andando al gabinetto.»

«Forse. Fatto sta che nel salotto c'erano due bicchieri che erano stati appena usati. E nella camera c'era, proprio sul letto, una barretta di cioccolato smozzicato.»

«I vecchi, si sa, ritornano bambini.»

«C'era anche l'impronta di una mano sporca di cioccolato. Una mano di bambino.»

«E allora?»

«È mai andata dal notaio con sua nipote Agatina?»

«Mai.»

«Agatina, confermi quello che dice tua nonna?»

Agatina solleva lo sguardo disperato sulla nonna che ora le stringe la mano fino a farle male.

«Di' la verità, amore mio, di' che non ci sei mai stata.»

«Non ci sono mai stata.»

«Purtroppo l'impronta sul lenzuolo non è rilevabile.»

«Avrà mangiato del cioccolato e avrà macchiato il lenzuolo, che c'è di strano? ora non è nemmeno permesso mangiare il cioccolato in casa propria, nella propria camera da letto?»

«Mi può raccontare per filo e per segno cosa avete fatto quella mattina? siete uscite di casa e poi?»

«Siamo uscite alle nove. Ci siamo dirette verso il supermercato, lo può chiedere al macellaio, Pasquale Mancia che ci ha salutate con un gran buongiorno.»

«Chi altro ricorda di avere incontrato quel giorno per strada?»

«La pasticciera, Veronica, detta Agonia perché ha le occhiaie che le scendono fino in bocca ed è magra come una salacca. Stava spalmando il cioccolato sopra una torta.»

«Le testimonianze coincidono. Ma la pasticciera non riesce a ricordare se andavate verso il supermercato che sta a destra o verso la casa del notaio che sta a sinistra del suo negozio.»

«Troppo presa dalla torta», commenta la donna con un piglio volutamente scherzoso.

«E cosa avete comprato al supermercato?»

«Un chilo di arance e del detersivo.»

«E poi siete tornate direttamente a casa?»

«Sì, proprio così.»

«E come la mettiamo con quelli che vi hanno visto entrare in casa del notaio?»

«Non dia retta alla gente del quartiere: sono tutti matti e bugiardi.»

«Adesso, signora Agata, mi lasci un poco sola con sua nipote.»

«No, Agatina non la lascio. Ha bisogno di me, vero, Agatina?»

La bambina solleva gli occhi, spaventata. Ora si vedono bene: sono grigi, con delle piccole scaglie dorate che li rendono luminosi e morbidi. La piccola sembra presa dalla paura e dall'incertezza. Si aggrappa al braccio della nonna, senza riuscire a spiccicare una parola.

«Vede, non può stare senza di me; ha paura.»

«Paura di che?»

«Di stare sola. Non la lascio mai, neanche un minuto.»

«Be', allora rimanga, le farò qualche domanda davanti a lei. Però mi deve promettere di stare zitta e lasciare parlare la bambina.»

«Va bene.»

«Ora guarda me, Agatina, e lascia la mano della nonna, non avere paura, non ti succede niente. Dimmi, lo conoscevi il notaio Pastore?»

«Non so.»

«Come, non so: una persona o si conosce o non si conosce.»

«Non so.»

È così chiaro che non sa cosa rispondere e a ogni parola che dice, si volta a guardare la nonna aspettando la sua approvazione.

«A te piace il cioccolato, vero?»

«Sì.»

«Il notaio Pastore ti ha mai regalato del cioccolato?»

«Mai» dice in fretta la nonna.

«Mai» ripete Agatina, rincuorata.

«Quindi tu lo conoscevi ma non ti ha mai dato del cioccolato, è così?»

«Non l'ha mai visto, l'ha già detto prima.»

«Non l'ho mai visto» ripete la bambina a pappagallo.

«Lo sa che il notaio Pastore aveva due cassetti pieni di fotografie di bambine in strane posizioni? Quando amoreggiava con lui, lo sapeva?»

«Mai visto foto di nessun genere. Chissà chi gliele ha messe in quel cassetto. Non mi stupirei se fosse stato qualcuno della polizia...»

«E sa che qualche settimana fa era stato fermato vicino alla scuola elementare dove stava cercando di convincere una bambina ad andare a casa sua con la promessa di una bicicletta?»

«Che ne so! io non so niente di bambine e di scuole. Con me era normale: i baci, l'amore, tutto normale, normalissimo.»

«E lei, per sé, non gli ha mai chiesto dei soldi?»

«Mai.»

«Bene, stiamo alle sue parole, signora Agata Peci. Potete andare, non voglio tormentare la bambina che mi sembra spaventata. Cercheremo altre prove visto che lei non vuole dirci niente e noi non vogliamo forzare né lei né sua nipote.»

La donna si alza rapida, aggiustandosi la gonna sul sedere. Riprende possesso della mano della bambina e assieme a lei si dirige con aria dignitosa e offesa, verso la porta.

Quando stanno per varcarla, Adele Sòfia si rivolge alla bambina mostrandole di lontano un oggetto: «Agatina! è tuo questo cerchietto? l'hai lasciato sulla sedia».

Agatina osserva il cerchio con le ochette di plastica che tiene in mano la commissaria e si avvia rapida verso di lei per riprenderlo.

«Sei sicura che è tuo?»

«Sì.»

«Allora riprendilo!»

«No, aspetta, non prenderlo, non è tuo!» grida la donna precipitandosi a riafferrare la mano della nipotina. «Non è il tuo cerchietto, amore mio, non lo vedi che non è il tuo?»

«È tuo o non è tuo?»

Per tutta risposta la bambina si stringe al petto il cerchietto immusonita, come stupendosi che si possa mettere in dubbio una cosa così ovvia. «È mio» dice con un soffio di voce.

«Basta fingere, signora Agata. Il cerchietto con le papere è stato trovato nel letto del notaio, come lei ha capito benissimo, altrimenti non si sarebbe precipitata a negare che sia il suo. La bambina l'ha riconosciuto davanti ad una macchina da presa che ha registrato tutto il nostro colloquio.»

«Non è tuo quel cerchietto, diglielo che non è tuo!» grida la donna prendendo a schiaffi la bambina.

Due agenti la fermano, le chiudono le manette intorno ai polsi e la portano via.

«Nonna!» urla la bambina.

«Agatina, aspetta! e toglietemi le mani di dosso, schifosi!»

«Nonna!»

La commissaria va per sollevarla da terra dove si è gettata in singhiozzi ma riceve un calcio sul petto.

«La nonna tornerà, Agatina» dice piano Adele Sòfia, «dovrà solo riflettere un poco stando da sola. Dovrà capire perché, pur volendoti tanto bene, ti ha venduta più volte al notaio per duecentomila lire. Ora per un po' andrai in collegio, ma non starai male: ci sono tante altre bambine e niente case buie né notai. Non sarai sola. Dài, non piangere...»

Ma la bambina non sembra ascoltarla. Con le piccole dita pallide stacca ad una ad una le paperelle di plastica colorata e le getta lontano ripetendo a bassa voce: «la mia nonna, voglio la mia nonna!».

Indice

BUR
Periodico settimanale: 10 maggio 2000
Direttore responsabile: Evaldo Violo
Registr. Trib. di Milano n. 68 del 1°-3-74
Spedizione in abbonamento postale TR edit.
Aut. N. 51804 del 30-7-46 della Direzione PP.TT. di Milano
Finito di stampare nell'aprile 2000 presso
il Nuovo Istituto Italiano d'Arti Grafiche - Bergamo
Printed in Italy

ANNOTAZIONI

ANNOTAZIONI

ANNOTAZIONI

ANNOTAZIONI

ISBN 88-17-25182-8